Une
tasse
de
réconfort
pour les femmes

Un recueil d'histoires
qui chantent la force et la beauté de la femme

 Publication sous la direction de
COLLEEN SELL

Traduit de l'américain par
Magda Samek

 *Inc.*

À ma tante Junella qui m'a appris que le rire sèche les larmes
et que la lumière dissipe la noirceur.

Éditeur : François Doucet
Traduction : Magda Samek
Révision linguistique : Véronique Vézina
Révision : Nancy Coulombe, Suzanne Turcotte
Graphisme : Sébastien Rougeau
Illustration de la couverture : Eulala Conner
ISBN 2-89565-345-3
Première impression : 2006
Dépôt légal : premier trimestre 2006
Bibliothèque Nationale du Québec
Bibliothèque Nationale du Canada

Éditions AdA Inc.
1385, boul. Lionel-Boulet
Varennes, Québec, Canada, J3X 1P7
Téléphone : 450-929-0296
Télécopieur : 450-929-0220
www.ada-inc.com
info@ada-inc.com

Diffusion
Canada :   Éditions AdA Inc.
France :   D.G. Diffusion
                Rue Max Planck, B. P. 734
                31683 Labege Cedex
                Téléphone : 05.61.00.09.99
Suisse :   Transat - 23.42.77.40
Belgique :   D.G. Diffusion - 05.61.00.09.99

Imprimé au Canada

$\int$ODEC

Participation de la SODEC.
Nous reconnaissons l'aide financière du gouvernement du Canada par l'entremise du Programme d'aide au développement de l'industrie de l'édition (PADIÉ) pour nos activités d'édition.
Gouvernement du Québec - Programme de crédit d'impôt pour l'édition de livres - Gestion SODEC.

# Remerciements

Le processus de publication ou de compilation d'un livre m'accapare au point de me faire oublier l'énormité de la tâche qui m'attend. Mais au tout début de la rédaction d'un livre, lorsque je n'en ai qu'une représentation mentale, et de nouveau, à la fin du processus, l'étape à venir et l'étape accomplie m'inspirent un respect mêlé de crainte. C'est à ce stade que je reconnais et apprécie l'effort de collaboration que représente chaque livre. Je voudrais donc remercier toutes les femmes qui ont participé à la création de cette anthologie, y compris celles dont le récit n'a pas été inclus. Il faut du courage pour écrire et encore plus de courage pour soumettre ce qu'on a écrit au jugement d'un éditeur et du grand public. Bravo à toutes celles qui ont accepté de nous raconter leur histoire.

À toutes ces femmes courageuses et talentueuses que nous avons eu le privilège de publier dans ce livre : merci mille fois !

Je remercie l'équipe de Adams Media Corporation de son extraordinaire collaboration. Tout au long du processus, elle a travaillé d'arrache-pied sans jamais se départir de sa gentillesse. Je remercie particulièrement Kate Epstein, Laura MacLaughlin, Kate McBride, Sophie Cathro, Gene Molter, Gary Krebs et Bob Adams.

Je remercie ma famille et mes amis de la confiance qu'ils continuent de me témoigner et de la compréhension qu'ils manifestent lorsque je consacre tout mon temps et toute mon attention à mon travail. Je ne pourrai jamais assez leur dire ma reconnaissance.

Je voudrais surtout remercier les lectrices, et lecteurs, qui nous permettent de prendre ensemble une tasse de réconfort. Que les histoires que vous allez lire vous apportent réconfort et joie.

Table des matières

 # Introduction

La joie est le feu sacré qui nous facilite l'atteinte du
but et aiguise notre intelligence.

~ Hellen Keller

Comme la plupart des femmes de ma génération et, probablement, de celles des générations qui m'ont précédée et qui me suivent, j'ai grandi dans une culture qui inculquait deux notions au sujet des femmes : les femmes sont source d'amour et de réconfort et les femmes sont difficiles à contenter. Cela équivalait à dire que les femmes font, par nature, preuve d'abnégation de soi, mais qu'elles sont en même temps pointilleuses. Je n'ai jamais aimé cette image de la femme et je ne l'ai jamais acceptée.

Même s'il est vrai que les femmes sont particulièrement aptes à prendre soin des autres, rares sont celles qui se posent en martyres. Les femmes trouvent le bonheur dans nombre de choses, l'apportent aux autres et le cultivent dans leur vie. Le bonheur ne leur vient pas seulement de donner *de* soi, mais *à* soi.

Cela ne veut pas dire qu'il est facile de s'occuper de soi tout en s'occupant des autres. Nous avons de lourdes responsabilités, dont certaines, comme les soins à donner aux enfants, sont prioritaires. Et même une forte femme a ses limites. Ma sœur a mis sur son réfrigérateur un aimant, cadeau d'une autre mère monoparentale, qui dit ceci : « Je suis une femme... Je suis invincible...Je suis épuisée. » Ce message, qui se veut amusant, ne l'est plus lorsqu'il représente la réalité de notre vie. Les femmes qui sont habituées à faire passer les autres en premier ne s'occupent d'elles-mêmes qu'ensuite et, pour certaines, cet ensuite arrive rarement. Se négliger, se priver de paix et de plaisir est cette folie qui nous pousse à aller au-delà de nos forces et nous épuise et nous rend alors incapables de nous occuper de quoi ou de qui que ce soit.

Le bien-être mental, physique, émotionnel et spirituel de la femme exige qu'elle intègre à sa vie bon nombre d'éléments qui la calment, lui redonnent de l'énergie, l'enrichissent et la comblent. Chaque femme a droit à une vie d'abondance. Chaque femme est capable d'être contentée et de se faire plaisir. Le confort matériel et les richesses de la vie sont en abondance. Nous n'avons qu'à leur ouvrir la porte.

Nous vous présentons dans ce livre une collection d'histoires sélectionnées avec soin qui relatent des expériences ou nous présentent des personnes et des événements qui apporteront réconfort et joie aux femmes et leur permettront de commencer leur voyage d'autoréconfort ou de le poursuivre. J'espère qu'il vous plaira et qu'il vous incitera à ensoleiller un peu plus votre vie.

— Colleen Sell

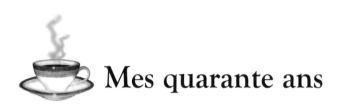 # Mes quarante ans

J e vais avoir quarante ans bientôt. Et comme je l'ai fait à chaque étape de ma vie, j'éprouve le besoin de mettre par écrit mes sentiments à ce sujet. Comment est-ce que je me sens ? Eh bien, je commencerai par dire que je ne sens pas mon âge. Je me sens bien, très bien même. Ce chiffre ne m'inquiète absolument pas. Ce qui m'inquiète, c'est la décennie qui va suivre. Chaque décennie, je me fixe une série d'objectifs à atteindre, de choses à faire avant de passer à la prochaine étape de ma vie. Cette fois-ci, je n'en ressens pas le besoin et c'est bien ce qui m'inquiète. C'est la première fois de ma vie que je ne me fixe pas de but et j'éprouve un sentiment qui ne m'est pas vraiment familier : un sentiment d'aise.

La vingtaine a été pour moi l'époque des années folles. Je n'ai pas bronché quand je suis passée de dix-neuf à vingt ans (probablement dans un bar enfumé de mon campus). Je me disais qu'il me restait encore dix bonnes années à faire la fête. Et c'est exactement ce que

j'ai fait. Après l'université, le bar enfumé s'est transformé en plage alors que je faisais l'apprentissage de la
maturité sur le chemin qui m'a mené en Californie du
Sud. Le début de l'âge adulte a été un enchantement. Je
me suis lancée à corps perdu dans ma carrière en
publicité et j'ai consacré encore plus de temps à m'a-
muser à fond de train. Les anniversaires se suivaient
sans que ça ne me fasse ni chaud ni froid.

Le jour où j'ai vu dans le miroir la face d'une
femme de trente ans, les choses se sont quelque peu
gâtées. Je me suis rendu compte que si je voulais me
marier et avoir des enfants, je devais me dépêcher.
Pour une jeune femme, la Californie du Sud représentait l'endroit idéal, mais si je voulais réaliser mes rêves,
il était préférable de retourner vers le cœur du pays.
Dans le Midwest, les chances étaient meilleures de
trouver un homme prêt, après un premier rendez-vous
galant, non seulement à m'inviter à déjeuner avec lui la
semaine suivante, mais prêt aussi à prendre un engagement plus sérieux.

J'avais raison. La trentaine a été très prolifique. J'ai
rencontré l'homme merveilleux qui allait devenir mon
mari, je l'ai épousé et j'ai eu deux enfants. Pour m'aider
à souffler les chandelles de mon quarantième anniversaire, j'ai à mes côtés l'homme qui est mon époux
depuis six ans, mon fils de quatre ans et ma fille de
deux ans !

Si je pouvais maintenant faire un vœu sans être la
fana de l'introspection que je suis, je souhaiterais continuer d'être heureuse en ménage en insufflant peut-être
un peu plus de vie dans mon couple, maintenant que
j'ai cessé d'être une nourrice ambulante. J'aimerais

voir mes enfants grandir et continuer de m'émerveiller par leur enthousiasme spontané. J'aimerais continuer à essayer de concilier famille et amies du mieux que je peux compte tenu du fait que nous avons toutes de jeunes enfants qui vomissent sur notre blouse noire alors que nous nous apprêtons à sortir pour nous rencontrer. J'aimerais avoir le bonheur de regarder ma mère vieillir avec grâce pendant de nombreuses années encore. J'imagine que ce sont des buts. Mais, pour les dix prochaines années, je ne compte pas consacrer toutes mes énergies à préserver ce que je possède, je souhaite aller au-delà.

À ce stade de ma vie, je me connais relativement bien. J'ai fini par accepter que si je ne portais pas une taille six à vingt ans, je ne peux pas m'attendre à en porter une aujourd'hui. Je sais que s'il y a trop de personnes autour de moi pendant que je me maquille, je commence à transpirer. Je sais que je peux lâcher du lest pour certaines choses, mais que j'ai besoin de travailler d'autres pour ne pas me sentir angoissée. Il me faut me fixer un but pour la prochaine décennie.

Je suis une marcheuse, une marcheuse du genre Forrest Gump, c'est-à-dire que je ne sais pas quand m'arrêter. Un jour, pourtant, je l'ai su. Chaque jour, j'emprunte pour ma randonnée le même sentier de la même forêt ; un jour, j'ai vu un arbre qui, bien qu'il ne différât pas des autres, s'est imposé à ma vue. Et alors, je me suis arrêtée. Peut-être était-ce la pluie, peut-être était-ce les feuilles jaunes qui annonçaient l'approche de mon anniversaire (l'automne pour le reste du monde) et qui étaient tombées à mes pieds. Je ne sais pas pourquoi, mais à cet instant précis, j'ai su ce qu'il me faudrait faire de ce prochain chapitre de ma vie.

J'ai remarqué cet arbre parce que, du jour au lendemain, il avait perdu ses feuilles et mis à nu ce qui en reliait les éléments : son tronc, son épine dorsale — brillante et forte et qui s'élançait vers le ciel. Les pieds fermement ancrés dans le sol, j'ai regardé autour de moi et le bois a cessé d'être un magnifique flou. Le bois était vaste et ses possibilités illimitées. J'ai éprouvé un sentiment de découverte que je n'avais jamais eu ou n'avais pas pris le temps d'avoir depuis très longtemps. Cela m'a donné le goût de continuer. Même si je continue d'aller dans la même direction, ce sera cette fois-ci en me fixant une nouvelle orientation.

Dans la quarantaine, je vais prêter plus d'attention à quelque chose que j'ai presque perdu de vue : moi-même. Je vais aller de l'avant, pas seulement comme la femme, la mère, la sœur ou la fille de quelqu'un, comme une auteure ou une amie, mais comme la femme que je suis devenue en cours de route. Au cours de cette décennie, je compte ralentir, méditer, apprécier et apprendre. Et même si je n'aurai pas de nouvelles réalisations à ajouter à mon palmarès au cours des dix prochaines années, je sais que le processus sera grisant.

— *Julie Clark Robinson*

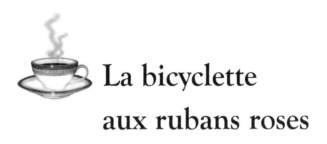

La bicyclette
aux rubans roses

La canicule sapait mes forces. Je venais d'apprendre que j'avais la sclérose en plaques et la chaleur rendait mon état encore plus pénible. Une fatigue intense m'imposait une assignation à domicile, pour la durée de l'été, en unique compagnie de mon climatiseur, de ma télé à écran géant et de mes chiens. Je m'ennuyais, me sentais seule et déprimée. Ma vie me déprimait. En plus d'être mal fichue et incapable de pratiquer les activités que j'aimais, j'avais été obligée de renoncer à mon poste de cadre supérieure et avais donc perdu l'usage d'une voiture de fonction.

Je pensai faire un tour au centre commercial climatisé, mais y renonçai. Mes armoires et plusieurs commodes étaient pleines à craquer. La pensée de mes tailleurs de couturier déformés aux épaules à cause des cintres, de la poussière sur mes blouses en soie et de mes multiples souliers, sacs et accessoires assortis — un rappel pénible de la femme que j'avais été — me mettait dans une humeur encore plus chagrine. Je n'avais certainement pas besoin de porter un vêtement Gucci pour aller au supermarché. De plus, ma dépression m'avait même mené à faire des achats sur Internet. J'avais cinquante-trois sacs, des douzaines de souliers et toute une série d'autres accessoires vestimentaires dont je n'avais nul besoin. Ce qu'il me fallait, c'était sortir de la maison.

Je pris alors le volant de ma Mustang décapotable rouge flambant neuf (également achetée en ligne). Bien entendu, à cause de la chaleur, je ne pouvais même pas ouvrir le toit de ma belle décapotable. Avec la climatisation à son maximum, je fis le tour de la ville et des environs, sans but particulier. Je vis alors une pancarte qui annonçait un marché aux puces intérieur et je me dis que l'édifice serait climatisé et je décidai alors de faire demi-tour pour le visiter. Je n'étais jamais allée à un marché aux puces, n'avais jamais acheté une chose qui n'était pas neuve, de marque connue et qui ne valait pas au moins dix dollars. Je ne serais donc pas tentée d'acheter quelque chose qui surchargerait encore mes placards et ma maison, et un marché aux puces me semblait donc une façon inoffensive de me distraire de mon ennui et de ma dépression.

Arrivée là, j'eus l'impression d'être une extraterrestre qui aurait atterri sur une planète inconnue : un monde rempli de tables après tables de bric-à-brac : vieux grille-pain, assiettes dépareillées, vêtements défraîchis et autres pièces de rebut de même nature. Qui voudrait acheter ces horreurs ? Qui avait le culot de les vendre ? Je remarquai alors un vieil homme qui vendait de vieux livres de poche déchirés à 25 cents. Je me dis qu'il devait sûrement avoir grand besoin d'argent. Je remplis mes bras de livres et lui donnai cinq dollars. Son sourire de remerciement était sans mesure avec la valeur de l'achat. Son sourire me remonta le moral ne serait-ce qu'un tout petit peu, moi dont l'état d'âme oscillait entre l'étonnement et la déprime. Je déposai les livres dans la voiture et je retournai au marché aux puces.

Je me promenai en observant les gens qui achetaient et ceux qui vendaient, tout autant fascinée par les chasseurs de soldes que par les colporteurs. À une table, une bicyclette pour fillette aux rubans roses élimés attira mon attention. On en demandait 10 $. On aurait dit que quelqu'un l'avait récupérée à la décharge municipale. Je secouai la tête et m'apprêtais à poursuivre mon chemin quand tout à coup, je vis qu'une femme et une petite fille s'étaient arrêtées pour regarder la bicyclette. L'enfant devait avoir environ dix ans et les boucles de sa natte étaient de la même couleur que le rose des rubans de la bicyclette. Ses yeux pétillaient d'excitation. Le visage de la mère s'illumina aussi, l'espace d'un instant. Elle devait être de mon âge, mais elle semblait avoir vingt ans de plus. Ses yeux étaient cernés et les vêtements flottaient sur son corps maigre, comme s'ils étaient retenus par l'empreinte de son ancienne silhouette. L'enfant mit la main dans sa poche et en retira quelques pièces et des billets tout froissés.

« Maman, est-ce que j'ai assez d'argent ? » demanda-t-elle.

« Ma chérie, nous avons besoin de beaucoup de choses. Je ne pense pas qu'on ait assez d'argent pour une bicyclette aussi. Regardons d'abord les nécessités à acheter et nous verrons ensuite. D'accord, ma poupée ? »

Le visage de la petite fille s'assombrit et ensuite la mère et la fille s'enfermèrent dans le même mutisme fait de compréhension. La fillette prit la main de sa mère et elles continuèrent leur route, à la recherche d'objets de première nécessité. J'avais la gorge serrée. Je m'approchai du kiosque, prête à dire au vendeur ma façon de penser. Pourquoi n'avait-il pas vendu la bicyclette à la petite fille pour un dollar ou deux ? Je reçus heureusement la réponse avant d'ouvrir la bouche. J'avais devant moi un vieil homme, mal habillé, et même s'il semblait avoir la gorge serrée, il avait manifestement besoin de ces dix dollars.

Je lui tendis un billet de dix dollars en lui demandant de donner la bicyclette à la fillette lorsqu'elle repasserait avec sa mère.

« Comment vous appelez-vous pour que je puisse lui dire qui lui a donné la bicyclette ? »

« Dites-lui simplement que c'est un cadeau d'une dame reconnaissante. »

« D'accord, dit-il, mais de quoi lui êtes-vous reconnaissante ? »

« De tout » répliquai-je.

Je me cachai et j'épiai, m'attendant à ce que le vieil homme se contente d'empocher l'argent. Lorsque la mère et la fille s'approchèrent de sa table, il leur fit signe et il roula la bicyclette jusqu'à l'enfant. Le visage de la petite fille s'illumina et la mère, les larmes aux yeux, eut un sourire épanoui. La mère écrivit quelque chose sur un bout de papier et le donna au vieil homme. Lorsqu'elles partirent, je m'approchai du vieil homme.

« J'ai suivi vos instructions, madame, et elles é-taient très reconnaissantes. La mère m'a demandé de donner ceci à la donatrice anonyme », dit-il en me remettant le bout de papier.

La note disait que sa fille et elle venaient juste d'ar-river dans notre ville, avec les vêtements qu'elles a-vaient sur le dos. La mère espérait un nouveau départ et mon geste l'avait beaucoup touchée. Elle avait signé sa note et inscrit le nom du motel où elles logeaient temporairement.

Le vendeur me dit avec beaucoup de tristesse qu'elles lui semblaient fuir quelque chose. Ou vers quelque chose, pensai-je.

De retour chez moi, ma maison ne me semblait plus une prison. Elle avait l'air confortable et sécuritai-re et aussi luxueuse qu'un hôtel cinq étoiles. J'étais aussi heureuse de retrouver mes chiens qu'ils le sont toujours de me voir et je bavardai joyeusement avec eux en allant chercher des boîtes au sous-sol. En sifflo-tant, je me dirigeai vers mon placard et je remplis les boîtes de tailleurs de couturiers avec les souliers et les sacs qui leur étaient assortis et je sortis des piles de vêtements de ma commode. Je mis une note dans la boîte pour souhaiter bonne chance à la mère dans sa nouvelle vie et beaucoup de plaisir à la petite fille avec sa nouvelle bicyclette et en les remerciant du cadeau qu'elles m'avaient fait. Je leur dis que si la mère avait le courage de refaire sa vie, moi aussi je l'aurais.

Cette triste journée d'été, les dix dollars que j'ai dépensés m'ont permis d'envisager la possibilité d'améliorer ma vie. C'est ce que j'appelle une aubaine !

— *Beth Rothstein Ambler*

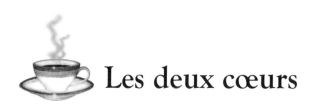# Les deux cœurs

Mes parents formaient un couple disparate. Ma mère était née et avait grandi en Virginie alors que mon père venait de New York. Ma mère avait passé sa jeunesse à porter de ravissantes robes à fanfreluches pour assister à des fêtes ou prendre le thé en plein air alors que mon père avait passé la sienne à jouer au baseball dans la rue en utilisant une plaque d'égoût comme premier but. Ses parents à elle étaient des professionnels qui ont fait de son éducation leur priorité. Ses parents à lui étaient des ouvriers qui ne pouvaient que rêver d'une éducation post-secondaire pour leur fils unique. Elle est allée à l'université et a voyagé de par le monde, ne voulant pas se marier avant d'avoir réalisé ses rêves. Mon père a obtenu un poste syndiqué et a appris un métier.

Les deux avaient trouvé la personne qu'ils croyaient être l'âme sœur et auprès de laquelle ils comptaient passer leur vie. Ma mère s'était même fiancée au fils du meilleur ami de son père. Les deux avaient grandi ensemble et leur famille avait toujours tenu pour acquis qu'ils se marieraient un jour. L'annonce de leurs fiançailles avait ravi tout le monde. Ma mère et deux de ses amies intimes avaient décidé d'aller à New York pour acheter le trousseau de la mariée. C'est à son premier soir dans cette ville que ma mère a fait la connaissance de mon père à une fête.

Ce fut le coup de foudre et ils passèrent la soirée à bavarder et à parler de ce qu'ils entrevoyaient pour l'avenir. De retour en Virginie, ma mère a rendu sa bague de fiançailles et est partie pour New York. Six mois plus tard, ils se mariaient à l'hôtel de ville lors d'une cérémonie intime. L'année suivante, à leur grande joie, je naissais.

Mes parents racontaient souvent l'histoire de leur rencontre fatidique. Et tous ceux qui connaissaient ce couple rayonnant de bonheur n'ont jamais mis en doute l'amour qu'ils se portaient.

Le plus précieux trésor de ma mère était une épinglette représentant deux cœurs entrelacés en cuivre que mon père lui avait acheté à leur premier rendez-vous, à Coney Island. Sur un cœur, ses initiales étaient gravées et sur l'autre, celles de mon père. Ma mère portait l'épinglette en permanence. À part son alliance, aucun autre bijou n'avait autant de valeur à ses yeux. Mon père lui avait proposé à plusieurs reprises de remplacer l'épinglette par une épinglette identique en or, mais ma mère a toujours refusé, déclarant que rien ne pouvait remplacer ce bijou de fantaisie. Mon père secouait la tête et lui achetait autre chose.

Lorsque mon père chéri mourut au jeune âge de cinquante-neuf ans, ma mère fit une grave dépression. À l'époque, j'étais déjà mère de famille. Nous vivions à six pâtés de maison de mes parents. J'avais promis à mon père que je m'occuperais de maman à son décès, mais je ne savais pas comment je pourrais tenir ma promesse.

Mes deux jeunes filles devinrent la consolation de ma mère. Elle les adorait et les trois passaient de plus en plus de temps ensemble. Petit à petit, ma mère trouva paix et réconfort auprès de sa famille et dans le bénévolat qu'elle faisait au sein de sa communauté. Dès qu'un organisme de bienfaisance avait besoin d'aide, elle offrait ses services. Elle devint membre de la légion américaine et bénévole pour l'un des hôpitaux des anciens combattants du quartier. Les nombreuses heures qu'elle consacrait aux malades et aux personnes âgées du quartier lui valurent de nombreux prix. Sa vie était bien remplie et elle semblait de nouveau heureuse.

Un jour, elle m'appela au travail en pleurs pour me dire qu'elle avait perdu l'épinglette de cuivre qu'elle aimait tant. Nous la cherchâmes partout dans la maison, retraçâmes les pas de ma mère cette journée et mîmes des avis de récompense dans les magasins. Nous ne réussîmes pas à retrouver l'épinglette et ma mère tomba à nouveau dans la déprime. Elle avait l'impression de perdre mon père une deuxième fois, même si dix années s'étaient écoulées depuis son décès.

Le temps passa et ma mère retrouva un certain réconfort auprès de sa famille et grâce à ses œuvres auprès des autres. Elle devint arrière-grand-mère, ce qui lui apporta beaucoup de joie. Mais elle n'oublia jamais l'épinglette perdue et en parlait constamment.

Pour son quatre-vingtième anniversaire, nous organisâmes une grande fête en son honneur. La journée était parfaite : la surprise de ma mère fut grande, la nourriture était délicieuse, il faisait beau et tous les enfants étaient d'une sagesse exemplaire. À la remise des cadeaux, maman passa beaucoup de temps à admirer chaque présent et à lire chaque carte, comme si elle ne voulait pas que la journée se termine.

Soudain, le petit garçon de ma fille cadette arriva en courant. « Nana, Nana, s'exclama-t-il, je ne t'ai pas encore donné mon cadeau. »

Maman lui demanda s'il lui avait créé quelque chose à l'école.

« Non, Nana », dit-il. « J'allais te peindre quelque chose à l'école et, pour ne pas que je me salisse, maman m'a donné comme sarrau une vieille blouse qui était dans une boîte rangée dans le grenier. Lorsque j'ai enfilé la blouse, quelque chose m'a piqué. C'était une belle épinglette et j'ai décidé de te la donner pour ta fête. Je l'ai enveloppé moi-même parce que je t'aime. »

Lorsque ma mère déballa le cadeau de son arrière-petit-fils, elle devint blême. Nous nous précipitâmes, craignant qu'elle ne s'évanouisse. Elle leva la tête vers nous et sourit.

« Mes enfants », dit-elle en souriant, « je viens de recevoir le cadeau de mon quatre-vingtième anniversaire de votre père. » Et elle nous montra l'épinglette de cuivre qu'elle croyait avoir perdu il y a de nombreuses années.

Quatre ans plus tard, j'enlevai l'épinglette du chandail de ma mère la journée de sa mort et je compris qu'il était impossible de séparer certains cœurs.

— *Anne Carter*

 # Mon temps

Elle ne l'avait pas vue. Il faisait sombre et il était bien caché. Elle ne pensait qu'à courir et ne l'avait pas entendu. Elle se concentrait sur sa respiration, le bruit que faisaient les semelles de ses souliers quand elles retombaient sur le sol. Elle ne pensait pas à cette possibilité. Elle se préparait mentalement à la course qui aurait lieu ce week-end.

Lorsqu'elle reçut le coup sur la tête, Robin ne comprit pas tout de suite puis, elle éprouva une épouvante indicible. Comme si, de loin, elle entendait ses propres cris déchirer l'air calme alors qu'elle s'écroulait au sol. Son attaquant lui plaça un couteau sur la gorge et, d'un ton menaçant, l'avertit qu'il la tuerait si elle ouvrait la bouche. D'instinct, elle savait que c'était vrai. Sa volonté de survivre était encore plus forte que cette attaque brutale et elle obéit donc ; elle resta consciente durant toute l'épreuve, elle supporta.

Après l'agression, il lui arracha ses bagues et sa montre. Elle remarqua l'heure. Pendant dix longues minutes, juste dix minutes, sa vie avait défilait devant elle, sa vie lui avait été arrachée, lui semblait-il. Et pourtant, elle était encore en vie. Il continuait de l'immobiliser au sol. Et elle restait toujours silencieuse et immobile, consciente et pourtant détachée de son corps. Il écarta le couteau de sa gorge et avant qu'elle puisse prendre une autre respiration, il lui asséna un coup en pleine face avec une telle force qu'il lui fractura le nez et la laissa dans un état de demi-conscience. La brute, le lâche, s'enfuit ensuite.

Pendant quelques minutes, elle eut trop peur pour bouger. Toutes sortes de pensées lui traversèrent l'esprit alors qu'elle essayait de se libérer de la peur et de la désorientation pour comprendre ce qui lui était arrivé. Elle se mit ensuite à sangloter, en partie à cause de l'horreur de ce qu'elle venait de vivre et en partie de soulagement parce qu'elle était encore en vie. Elle était en proie à des émotions intenses : peur et révulsion, gratitude et indignation, qui la paralysaient temporairement, la gardaient clouée au sol. Elle finit par se relever lentement et par se diriger en trébuchant, l'air hébété, vers la sécurité.

Elle ne se sentait plus en sécurité. Elle ne se sentait plus elle-même. Elle ne faisait plus confiance aux hommes, elle n'osait pas leur faire confiance. Et elle avait arrêté de courir.

La course avait été l'un des plus grands bonheurs de Robin. Après l'attaque, il lui sembla impensable de se remettre à courir. Elle sortait rarement de chez elle. La police n'avait pas réussi à arrêter son agresseur ni même à l'identifier. Cela voulait dire qu'il était libre quelque part et qu'il pouvait s'en prendre à nouveau à elle. Et si ce n'était pas lui, ce pouvait être un agresseur quelconque, tapi tout près, prêt à lui sauter dessus et à lui prendre plus que sa montre, une bague, beaucoup plus que dix minutes cauchemardesques de sa vie. Sa vie avait été épargnée, mais sa liberté de courir, son sentiment de bien-être, son soi avaient été détruits.

Les semaines passèrent. Des images de l'agression revenaient périodiquement la hanter ; la nuit, des cauchemars la réveillaient. Elle ne sortait de chez elle que lorsque c'était absolument nécessaire, seulement de jour et toujours avec effroi, profondément consciente des dangers qui la guettaient dans l'ombre. Il lui était très difficile d'entretenir des rapports avec les hommes, même ceux qu'elle connaissait depuis longtemps et à qui elle faisait confiance avant l'agression. Elle se demandait qui ils étaient en réalité lorsque personne ne les observait. Elle avait rangé ses chaussures de course, chassant ainsi le dernier semblant de la personne qu'elle avait été et qu'elle ne serait plus. C'est ce qu'elle se disait. C'est ce dont elle était persuadée.

Un bon matin, Robin se rendit compte que ce n'était pas ce qu'elle voulait. Ce matin, elle s'était réveillée tôt et pour la première fois depuis bien longtemps, elle avait senti une lueur d'espoir naître en elle. Elle se rendit compte qu'elle voulait ressentir de la joie à nouveau. Elle voulait reprendre le contrôle de sa vie. Elle le voulait désespérément, mais elle ne savait pas comment. La réponse ne lui apparut toutefois pas ce matin-là.

Cette nuit, elle fit un rêve qui, pour une fois, n'était pas un cauchemar. Le rêve était paisible et, chose surprenante, très détaillé. Dans son rêve, elle voyait une horloge géante qui indiquait les vingt-quatre heures de la journée et pas seulement les douze habituelles. Les minutes étaient également indiquées, bien en évidence. Au bas de l'horloge, le chiffre « 1 440 » clignotait. Ce rêve, pour une obscure raison, réconforta Robin.

Le lendemain matin, Robin se souvint du rêve. Pour la première fois depuis son agression, elle commença sa journée en pensant à autre chose : à l'horloge géante de vingt-quatre heures. Pourquoi avait-elle rêvé d'une horloge ? Pourquoi les minutes sur l'horloge semblaient-elles si importantes ? Qu'est-ce que le chiffre clignotant représentait et pourquoi ce chiffre clignotait-il ? Ce rêve l'intrigua toute la journée. Puis, prise d'une impulsion soudaine, elle sortit sa calculatrice et multiplia 24 (heures) par soixante (minutes). Ça lui donnait un total de 1 440. C'était donc cela : le nombre de minutes que comportait une journée ! Robin se demanda combien de minutes il y avait dans une semaine et dans un mois et calcula ensuite le nombre de minutes dans une année. Le résultat lui coupa le souffle : il y avait 525 600 minutes dans une année, soit plus d'un demi-million. Toute surprise, elle calcula combien de minutes elle aurait à vivre si elle vivait jusqu'à quatre-vingts ans : presque 30 millions de minutes de plus !

Tout à coup la vérité lui apparut comme la sonnerie mélodique d'une belle horloge. Robin se rendit soudain compte qu'elle avait passé chaque minute de sa journée et de nombreuses minutes cauchemardesques la nuit à revivre cette expérience traumatisante de dix minutes. Elle comprit qu'il lui restait des dizaines de millions de minutes à vivre et que c'était à elle de décider comment elle voulait les passer. Elle remit la calculatrice à sa place et alla chercher ses chaussures de course. Ce jour-là, Robin courut, elle courut le lendemain et le surlendemain et le sursurlendemain.

Elle s'inscrivit également à un groupe d'entraide pour les femmes qui avait été agressées ou battues. Les séances de counseling lui permirent de voir que toutes les femmes qui se remettaient d'une expérience traumatisante avaient une chose en commun : chacune s'était soudain rendu compte que c'était à elle de déposer le lourd fardeau qu'elle portait et de recoller les morceaux éclatés de sa vie. Pour Robin, la vérité lui apparut le jour où elle rêva des 1 440 minutes qui constituaient une journée. Dès lors, elle fut déterminée à profiter pleinement des millions de minutes de vie qui lui restaient et à vivre sans peur.

Le jour où j'ai assisté au groupe de thérapie et écouté l'histoire inspirante de Robin, j'ai compris que moi aussi j'avais un choix à faire et je l'ai fait. J'ai choisi de mettre le passé aux oubliettes et de célébrer les merveilleux moments de ma vie tous les jours.

— *Lynn Seely*

 L'amant de Joan

À l'approche de son vingtième anniversaire de mariage, Joan ressentait un désir inassouvi. Heureuse en ménage et mère de six beaux enfants, elle avait le sentiment qu'il lui manquait quelque chose. L'envie la démangeait de vivre une aventure qui la sortirait de sa routine quotidienne. C'est alors que son plus jeune enfant s'apprêtait à partir pour la maternelle qu'il se produisit un événement qui fit vibrer son âme et la changea pour toujours. Un « amant » entra dans sa vie.

Il était grand de taille, brun et beau, et venait de l'ouest. Grand et maigre, il avait un cou épais, des muscles bien dessinés et une démarche assurée. Il avait autant besoin de Joan que Joan de lui. Les deux devaient vaincre des obstacles relatifs à leur santé. Ceux de l'amant provenaient des années de vie dure, ceux de Joan étaient plus formidables.

Depuis l'enfance, Joan souffrait du syndrome de Stevens-Johnson, une maladie qui provoque une détérioration progressive de sa vision. Elle était rendue au stade où la conduite et l'exécution de tâches courantes devenaient très difficiles. Chaque jour, elle ressentait la douleur et la frustration de non seulement perdre la vue, mais aussi de perdre son indépendance. Son nouvel amant le comprit tout de suite et lui témoigna une compassion et une gentillesse extrêmes. Ils partageaient une synergie qui n'opère qu'une fois dans la vie et qui est alors sans bornes.

Dès le début, les deux surent qu'ils avaient des affinités et qu'ils vivraient une merveilleuse aventure. Les deux aimaient le plein air et goûter aux merveilles de la nature. Ils commencèrent par faire de longues promenades dans les bois, prenant plaisir à entendre les feuilles crisser sous leurs pieds et à respirer l'air frais. Sans dire un mot, chacun devinait le prochain mouvement de l'autre. Ensemble, ils découvrirent un nouveau monde, qui leur procurait autonomie, estime de soi et surtout distraction. Il devint ses yeux et, grâce à lui, elle envisagea la vie sous un nouvel angle.

C'était un vrai gentleman. Les amis de Joan trouvaient qu'il avait de la classe et qu'il savait comment se conduire envers une femme. Elle se sentait toujours en sécurité auprès de lui, surtout quand elle appuyait son cou contre le sien. Avec le temps, les deux commencèrent à voyager ensemble. De parfaits inconnus constataient leur compatibilité et le réconfort qu'ils tiraient l'un de l'autre.

Joan commença à passer de plus en plus de temps avec son amant et sa famille découvrit un nouvel as-

pect de sa personnalité. Elle manifestait plus de confiance en elle-même et elle rayonnait de bonheur. Elle
devint une meilleure épouse et une meilleure mère à
cause de ce beau grand bonhomme qu'elle appelait
Amant. Mais cet amant ne briserait pas de ménage et
ne volerait jamais la femme d'un autre. Cet amant se
contentait de renforcer les liens de Joan avec les autres.
Il donnait et était reconnaissant du moindre geste de
bonté qu'on lui manifestait. Lorsqu'on le flattait, il y
répondait avec de la gratitude et de l'appréciation.
Avec la bénédiction et l'encouragement de son mari,
Joan entretint cette liaison pendant de nombreuses et
merveilleuses années.

Joan et son amant se manifestaient un empressement réciproque et montraient un empressement à
rechercher de nouvelles expériences et de nouvelles
aventures. Ces aventures survenaient sur les sentiers,
dans les bois, dans les écuries et les paddocks.
C'étaient les endroits où Amant se sentait le plus à
l'aise parce que, au fin fond de lui, c'était un amateur
de plein air, né dans une ferme. Personne ne connaissait son nom à la naissance. Les gens l'appelaient tout
simplement l'Amant de Joan, un nom qui convenait à
sa disposition et à ses qualités particulières.

Et il était un vrai cadeau. C'est Tom, le mari de
Joan, qui lui en avait fait cadeau parce qu'il avait senti
que Joan avait besoin d'autre chose que les activités
routinières d'épouse et de mère. Elle reçut ce fabuleux
cadeau par une chaude journée du mois d'août,
lorsque le van s'arrêta à sa vieille ferme et qu'en sortit
ce beau pur-sang de cinq ans appelé Amant.

Pendant vingt-cinq ans, Joan et Amant restèrent ensemble, chacun apprenant de l'autre. Ils s'apprivoisèrent au cours des séances de brossage et de pansage. Puis ils commencèrent à faire de courtes randonnées. Bientôt, ils allèrent à la chasse au renard, participèrent au saut d'obstacles et aux compétitions de cavaliers de dressage. Lorsque Joan ne fut plus en mesure de participer à ces activités, Amant était content de rester tout simplement à ses côtés et de la porter sur son dos. Dans les situations dangereuses, Amant se plaçait entre elle et les autres chevaux. Amant sentait la détérioration de son état et la source constante de douleur qu'étaient ses yeux et s'efforçait de la consoler. Elle pouvait toujours compter sur lui.

Cela cessa d'être le cas par cette froide journée de novembre où Amant, qui approchait maintenant de la trentaine, tomba malade. Ni leur amour ni leur détermination ne réussirent à triompher de l'intense colique qui lui tordait le ventre. Cette fois-ci, c'est lui qui avait besoin de Joan comme elle avait eu besoin de lui. Elle savait qu'il souffrait et qu'il fallait le faire abattre.

Ce ne serait pas chose facile puisque Joan et Amant formaient une équipe. Ils avaient toujours tout fait ensemble et ce dernier voyage ne serait pas différent des autres. À son habitude, Joan alla à la stalle d'Amant, le flatta et lui parla doucement. Lorsqu'elle commença à le sortir, il crut qu'elle l'emmenait brouter l'herbe de leur endroit préféré, les bois derrière l'écurie. Joan se tint debout aux côtés d'Amant lorsque le vétérinaire lui injecta le médicament qui ferait cesser de battre pour toujours ce noble cœur. Alors que la vie le quittait, Joan appuya sa tête contre lui pour trouver du réconfort, tout comme elle l'avait fait pendant qu'ils se faisaient la cour. Sauf que cette fois-ci, le partenaire de Joan ne renâcla pas gaiement ni ne lança vers l'arrière sa tête avec aplomb comme pour lui dire : « Moi aussi, je t'aime. » Il resta silencieux et immobile.

La mémoire d'Amant ne s'est pas effacée et son souvenir continue de lui apporter amour et joie. Il est enterré sous une belle grande épinette à l'orée des bois à l'arrière de la maison de Joan. Chaque jour, quand elle va prier à cet arbre, elle se souvient de la beauté de la nature et de tous les cadeaux de la création que nous fait Dieu, et surtout d'un cheval nommé Amant.

— *Sharon Hazard*

 # La magie du nouvel an

La Saint-Sylvestre a toujours été une période magique. J'adore le champagne, les belles robes, les serpentins. Le fait de célébrer l'année écoulée et de carillonner le nouvel an me rappelle que le temps fuit et que la vie est précieuse.

Quand j'étais enfant, je passais toujours le réveillon du jour de l'An avec mes grands-parents. Je n'arrivais pas à rester réveillée jusqu'à minuit, mais je peux encore sentir les mains tièdes de ma grand-mère qui me secouaient en me disant « Le ballon sera bientôt lâché. » Tous les trois nous observions alors le ballon scintillant descendre : dix, neuf, huit, sept, six, cinq, quatre, trois, deux, un ! Et nous applaudissions pendant que la foule poussait des vivats !

Plus tard, quand j'ai commencé à réveillonner avec des amis, j'appelais toujours mes grands-parents juste après minuit. « As-tu vu le ballon tomber ? » nous demandions-nous mutuellement. La réponse, bien sûr, était toujours « Oui ! ». Nous nous souhaitions ensuite une bonne et heureuse année et nous embrassions par téléphone. J'ai continué ce rituel tous les ans jusqu'à leur décès.

Au début de la vingtaine, je tenais absolument à aller à New York pour voir le compte à rebours en direct de Times Square. J'ai souvent essayé de convaincre les membres de ma famille et des amis intimes de dîner à un restaurant élégant, d'aller danser dans un grand hôtel et ensuite, à onze heures, de nous précipiter pour nous joindre à la foule rassemblée sous le ballon. Personne n'a jamais accepté. Alors, année après année, je continue de regarder les fêtards à la télévision, me promettant qu'un jour, je serai parmi eux, même s'il me faut y aller seule.

Le réveillon du jour de l'an 2002 fut marqué par la solennité. Les gens que je connaissais décidèrent de rester à la maison et de fêter en prenant un repas sobre, arrosé d'une bonne bouteille de vin. Mon mari ne voulait que regarder l'éliminatoire des Philadelphia Eagles. Il accepta quand même d'aller dîner au restaurant avec nos deux filles en autant que nous retournions à la maison pour le coup d'envoi. C'était mieux que de ne pas fêter du tout, alors nous allâmes dîner tous les quatre et eûmes du bon temps. Inutile de dire que le dessert fut vite expédié. Je me disais qu'à la fin du match, nous aurions le temps de sabler le champagne et de nous retrouver en amoureux. Je ne fis aucune allusion car je savais pertinemment que les choses se passent rarement comme prévu.

« À la fin du match, lui dis-je, je veux que tu restes avec moi. » Il me promit d'être tout à moi, mais j'étais encore un peu fâchée. « Tu sais ce que cette soirée représente à mes yeux », grommelai-je, essayant de sceller l'entente. Il opina de la tête, mais je ne me sentais pas rassurée.

C'était peut-être le copieux repas, l'excitation provoquée par le match, l'absence de bruit dans la maison ou le fait qu'il soit tout simplement fatigué, quelle que soit la raison, mon mari s'endormit peu après nos enfants et je me retrouvai seule en mon jour de fête préféré. Déçue, je me mis à arpenter la maison, j'essayai en vain de lire un roman, me fis du chocolat chaud. Finalement, je m'assis devant le feu mourant. Il donnait peu de chaleur.

À 23 h, j'ajoutai quelques bûches dans la cheminée et je tamisai les lumières, transformant la pièce en un endroit chaud et sensuel. J'allumai les lumières de l'arbre de Noël, débouchai une bouteille de champagne et remplis deux flûtes de cristal.

« Ce sera bientôt l'heure », dis-je à mon mari, en le secouant un peu. Il se souleva sur un coude pour prendre une gorgée de champagne : « Bonne année », murmura-t-il, et il se rendormit aussitôt.

Pour la première fois de ma vie, je regardai seule le ballon descendre. L'envie d'appeler mes grands-parents devint une souffrance physique et j'enviais plus que jamais la foule à Times Square. Je me sentais comme une intruse alors que je scrutais leurs visages radieux. J'essayais de faire revivre dans ma mémoire les fantômes des réveillons passés : de mon grand-père et de moi faisant du tintamarre avec les casseroles sur le perron, de ma mère portant une robe en lamé argent, des baisers à odeur de cannelle d'un beau garçon à minuit. Mais rien ne bougeait à l'intérieur de la maison et j'essuyai furtivement une larme.

J'éteignis la télévision et allai embrasser chacune de mes filles dans son lit en leur murmurant « Je t'aime » à l'oreille. Je pensai les réveiller, les emmitoufler et les emmener dehors pour cogner sur des bols en ferblanc avec une cuillère en bois. Je me contentai de ramener les couvertures autour de ma fille de quatre ans, qui dormait paisiblement dans son lit et de ma plus jeune, endormie dans son berceau. Je serrai, un peu trop fort, mon chien dans mes bras. Je descendis ensuite fermer les lumières et éteindre le feu.

Le sapin odorant semblait chatoyer à la lueur rougeoyante des braises et ses feux colorés se réfléchissaient dans la fenêtre panoramique. Je me sentais à la fois transportée et déprimée dans mon observation solitaire de tant de beauté. J'allai à la fenêtre et regardai dehors la nuit tranquille. Tout en savourant mon champagne, je souris en admirant le prisme des feux colorés qui dansaient sur la pelouse recouverte de neige. Comment n'avais-je pas remarqué que mon gazon ressemblait à un sorbet irisé ?

Je les entendis avant de les voir. Ils chantaient *Auld Lang Syne,* en riant alors qu'ils essayaient de se souvenir des mots. C'était deux filles et quatre garçons qui se promenaient nonchalamment le long du trottoir, insouciants du vent glacial et de l'heure tardive. Ils me rappelaient les réveillons précédents et les plaisirs de la jeunesse. Ils me plurent tout de suite.

« De la neige vierge ! » s'exclama le grand à l'écharpe bleu roi en s'y roulant sur ma pelouse avant.

« Je me demande si l'on peut faire des boules de neige colorées avec cette neige ? » demanda la jeune fille à la veste de ski noire.

Elle se tenait juste en dessous de ma fenêtre et je reculai derrière le rideau pour ne pas la faire sursauter. Elle plongea la main dans un carré de poudre rose et la lança au garçon tapageur à la tuque à glands. Elle le rata mais il la pourchassa quand même, lui donnant une version polie d'un blanchissage.

Je les observai avec une jubilation secrète alors qu'ils démolissaient ma neige vierge. Une partie de moi aurait voulu enfiler mon vieil anorak bleu et me joindre à eux, mais j'étais surtout heureuse juste de les observer. Leur présence joyeuse me sortit de l'ombre de la solitude. Je m'appuyai contre la fenêtre, touchai la vitre froide avec la pointe de mes doigts.

« Je suis heureuse que vous ayez choisi ma neige », leur murmurai-je.

C'est à ce moment que le téléphone sonna. C'était un cousin dont j'étais très proche depuis toute petite et dont la femme devait accoucher incessamment. Je ne m'attendais pas à son appel et étais très touchée qu'il le fît. Il avait des invités chez lui et devait crier pour se faire entendre malgré la musique et les réjouissances.

« Bonne année, cousine ! dit-il, t'amuses-tu ? »

« Comme une folle », répondis-je.

« Ça a l'air tranquille chez vous. Es-tu seule ? » demanda-t-il.

Je regardai mes anges dans la neige, imaginai mon mari et mes filles bien au chaud et en sécurité dans leur lit et pensai au beau visage de mon cousin.

« Non, je ne suis pas seule, dis-je, bonne année à toi aussi ! »

— *Christine Caldwell*

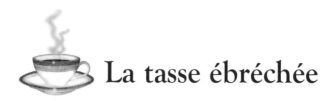 # La tasse ébréchée

J e m'inquiétais de la réaction de Maggie lorsque je
lui donnerais le cadeau. C'était après tout un vieil
objet ébréché.

Maggie Mae, ma petite-fille, quittait le nid de ses
parents pour emménager dans son premier appartement. Elle était venue chercher les contributions de
Grand-mère à son nouvel ameublement. Elle défit le
ruban, déballa le papier crêpe mauve et regarda fixement la tasse antique au rebord doré.

« Elle est splendide, grand-maman », dit-elle en la
sortant de son emballage. Mais voyant la fêlure dans le
fond de la tasse et l'anse recollée, elle ajouta : « Mais
elle est cassée ! »

« Non, ma chérie, lui répondis-je, elle est réparée. »
Et je lui racontai alors l'histoire de la tasse.

Cette tasse m'a été donnée bien avant ta naissance
par Dianne, une de mes grandes amies. Te souviens-tu
quand t'étais petite et que nous jouions toutes les deux
à prendre le thé ? Eh bien, mon amie et moi faisions la

même chose. Nous nous réunissions souvent pour prendre le thé et parler des joies et des problèmes de l'existence. Nous sortions toujours notre belle vaisselle et nos napperons dorés pour dresser la table avec élégance et nous accompagnions le thé de biscuits maison. Cette tasse à thé a entendu bien des histoires intéressantes et beaucoup de secrets. De nombreuses larmes y sont tombées et s'y sont mélangées à la crème et au sucre. La journée où tu es née, nous avons célébré cet événement extraordinaire en prenant le thé.

En ce temps-là, les femmes consultaient rarement le thérapeute ou le psychologue au sujet de leurs problèmes. Elles s'en parlaient entre elles. Mon amie Dianne habitait la même rue. Souvent, le matin, je courais jusqu'à sa maison en robe de chambre et pantoufles et nous nous asseyions au coin du feu à siroter notre thé. Lorsque j'avais un problème, Dianne m'écoutait et me consolait. Je faisais la même chose quand c'était son tour. Nous étions des confidentes, des conseillères et surtout des amies.

Dianne et moi aimions les jolies choses et anticipions avec plaisir la décoration de notre desserte roulante avec des fleurs coupées et de la belle porcelaine. Nos mondes étaient parallèles à bien des égards. Lorsque Dianne a divorcé, j'ai divorcé moi aussi quelque temps plus tard. Lorsqu'elle perdait un être cher, la même chose m'arrivait. On se réconfortait mutuellement tout le temps. Elle se pointait à ma porte ou je me pointais à la sienne, tasse à la main et le processus de guérison — bavardage, écoute, partage et soutien — commençait alors.

Ce n'était pas toujours une crise. Parfois — en fait la plupart du temps — nous nous asseyions ensemble pour discuter de la couleur du papier peint, de l'endroit où accrocher un tableau et de sujets typiquement féminins comme le maquillage ou la coiffure. Je me souviens de l'excitation que j'ai ressentie lorsque je me suis acheté une belle robe pour la réunion des anciens de mon école. J'avais hâte de la lui montrer et, évidemment, elle a offert de me prêter le bijou qui rehausserait l'élégance de la robe.

On parlait souvent des hommes. Lorsque nous étions célibataires, nous échangions nos impressions sur les hommes de notre vie et sur ce que l'on recherchait chez le partenaire idéal. Ces soirées-là, nous pouvions boire un gallon de thé en discutant de toutes les grenouilles que nous avions embrassées avant de trouver notre prince.

Les soirs d'été, nous prenions le thé sur le patio décoré de chandelles allumées et de fleurs coupées, en philosophant sur la vie et la recherche du bonheur. Nous sirotions le thé alors qu'autour de nous, les saisons — et notre vie — changeaient. Lorsque nous étions désemparées, tout rentrait dans l'ordre après l'heure du thé, ne serait-ce que le temps de faire le thé et de le prendre ensemble. Lorsque je reviens sur ces années, je peux à peine me rappeler quels étaient ces immenses chagrins ou ces maux de tête qui m'amenaient à aller voir Dianne en pantoufles. Mais je me souviens très nettement de chacune de nos pauses thé et j'en chéris le souvenir.

Un jour, Dianne a déménagé, mais j'ai gardé ma tasse de thé et je pensais à elle chaque fois que je m'en servais. J'ai ensuite vendu la maison et en faisant les boîtes, j'ai échappé ma tasse. J'ai fait de mon mieux pour la rafistoler. Elle n'était plus comme avant, mais je me suis rendu compte que ça n'avait pas d'importance. Même si je ne pouvais plus y verser de liquide, elle est remplie jusqu'au bord des tendres souvenirs des années passées. Et c'est pour cela que je voulais te la donner.

Après un court silence, Maggie me remercia.

En me faisant ses adieux, Maggie m'invita à aller prendre le thé chez elle le lendemain. Je compris alors que ma tasse était entre bonnes mains et que c'était le cadeau idéal pour une petite-fille sur le point d'entreprendre son propre voyage.

— *Barbara Rich*

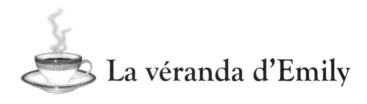 # La véranda d'Emily

Nous avons fait connaissance lorsque nous avons toutes les deux fait partie de la distribution d'une pièce au théâtre communautaire local. Aux répétitions, nous échangions des civilités et avons bien travaillé ensemble dans les scènes où nous apparaissions toutes les deux. Un soir, après la répétition, elle a invité tout le monde chez elle. J'ai franchi la porte, ai lancé une plaisanterie dont elle fut seule à rire et ce fut le début de notre amitié.

Il importait peu qu'Emily eu terminé ses études secondaires l'année de ma naissance, ni que nous appartenions à des milieux tout à fait différents. Cela importait peu qu'elle soit mariée, avec des enfants adultes et que je sois libre comme l'air. Cela ne sembla jamais étrange que tandis qu'elle était une femme au foyer qui s'occupait de son mari et de sa famille, je poursuivais une carrière prestigieuse en marketing. Nous étions amies comme seules deux femmes qui ont trouvé une âme sœur peuvent l'être.

On s'asseyait pendant des heures sur sa véranda, à boire du vin en discutant de livres, de théâtre, de relations et en essayant de résoudre les problèmes de l'univers. Elle me réconforta durant mon histoire sentimentale compliquée avec celui qui allait devenir mon mari et elle fut dame d'honneur à notre mariage. Je la soutins lorsque son mari la quitta pour une autre femme et, lorsqu'elle envisagea de reprendre ses études, je lui dis que je croyais en elle. Avec le vif encouragement qu'elle me prodigua, je lançai, avec succès, ma propre entreprise de consultation.

Emily reprit ses études et devint enseignante. Même si elle ne pouvait pas être avec moi physiquement, elle l'était en esprit le jour où j'accouchai de mon fils. Et lorsque je décidai de me consacrer entièrement à mon fils Wyatt, elle appuya ma décision d'interrompre ma carrière et de devenir une mère à la maison. Notre amitié nous soutint à travers changements de carrière, mariage, divorce, naissances et décès, bons moments et crises.

Mais un jour, mon mari fut muté presque à l'autre bout du pays.

La véranda d'Emily avait été le havre de paix des tempêtes de ma vie. C'était l'endroit où j'allais célébrer mes succès et pleurer mes pertes. Sa véranda serait maintenant à 2 000 milles de chez moi.

Nous en prîmes notre parti comme pour tout événement douloureux de notre vie. Faute d'être ensemble, nous bavardions des heures au téléphone tout en sirotant un verre de vin, assise chacune sur sa véranda. Nous nous écrivions des lettres de plusieurs pages et chaque fois que j'en recevais une d'elle, j'avais envie de pleurer et de rire en même temps. Mais ce n'était pas la même chose.

L'automne dernier, j'eus finalement la possibilité de faire ce que j'appelais un « pèlerinage » dans le Sud. Comme mon mari ne pouvait pas prendre de longues vacances, j'emmenai le bébé pour visiter chaque ami et parent que j'avais au sud de la ligne Mason-Dixon. Même dans des circonstances ordinaires, un voyage avec un enfant est épuisant, mais être en voiture jour après jour, heure après heure, avec des périodes où Wyatt se faisait pincer, caresser et embrasser par des étrangers fut une pénible expérience pour tous deux. Le fait que la nourriture, l'eau et le lit changeaient chaque nuit compliqua les choses. La seule chose qui me permit de survivre à ce cauchemar était la pensée que je passerais la dernière nuit chez Emily.

Après deux semaines de voyage, j'aperçus finalement sa véranda. Elle ne me parut jamais aussi accueillante ni le vin aussi frais ni la conversation aussi amicale que cette soirée-là. Wyatt adora Emily, sentant je crois que nous étions en présence de quelqu'un que j'aimais et en qui j'avais confiance et de quelqu'un qui m'aimait et me faisait confiance. Il semble qu'il ait aussi compris que nous avions besoin de bavarder en tête-à-tête. Après avoir bien mangé et bu un verre de lait, il s'endormit plus tôt que d'habitude. Je le couchai dans son berceau dans la petite chambre du fond et retournai m'asseoir sur la véranda.

Peu de temps après, Marilyn, la fille d'Emily, âgée de vingt-deux ans, arriva après avoir terminé son quart de soir au restaurant où elle était serveuse. Après m'avoir embrassée, elle se déclara épuisée et alla se coucher. Emily et moi continuâmes à bavarder comme si nous ne nous étions pas vues depuis des années.

Une heure plus tard environ, je me dis que je devrais aller jeter un coup d'œil à Wyatt. Emily se souvint alors que nous avions mis Wyatt dans la chambre de Marilyn. Nous allâmes voir comment ces deux êtres si différents s'entendaient.

Nous ouvrîmes doucement la porte de la chambre obscure de Marilyn et je me dirigeai sur la pointe des pieds vers le berceau. Mon fils n'était pas là. La panique me gagna. Mais avant qu'elle ne s'empare complètement de moi, Emily me fit signe de regarder du côté du lit. J'entrevis alors la silhouette endormie de Marilyn et dans ses bras, mon Wyatt. Elle l'entourait de ses bras et les deux respiraient doucement, leurs nez se touchant presque tellement ils étaient près.

Nous restâmes là, épaule contre épaule, à regarder nos « bébés » dormir tranquillement ensemble. Il nous sembla alors que notre relation revenait à son point de départ. Nous avions passé au travers de beaucoup de choses au fil des ans et pourtant, pendant quelques minutes, rien d'autre n'existait à l'extérieur de cette chambre. Je poussai un grand soupir et compris que quelle que soit la distance qui nous sépare, je pourrai toujours me remémorer cette expérience exaltante et connaîtrai alors à nouveau le réconfort d'être sur la véranda d'Emily.

— *Laura Cassel Brownell*

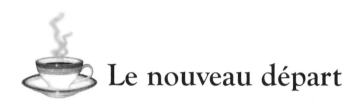 # Le nouveau départ

Il y a environ un an, je commençai à penser à une retraite anticipée. Cette pensée assaillait ma conscience telle une pie bavarde qui jacassait sans arrêt jusqu'à ce que je ne puisse plus nier la signification et la réalité du message.

Ayant été cadre supérieure de sexe féminin pendant plus de trente ans, ma carrière a été marquée par l'impact débilitant du stress et des programmes politiques. Pendant plus de vingt ans, j'ai œuvré au sein du secteur financier, un fief masculin. Y rester en vie a souvent été un jeu brutal de survie, où je souffrais de la rupture des communications avec les personnes de mon sexe et de l'incapacité de forger des alliances autour de l'urinoir.

En dépit des difficultés, j'ai survécu et j'ai aimé mon travail. En fait, mon travail, *c'était moi*. Pourquoi alors, à cinquante-deux ans, pensais-je déjà à la retraite ? Le concept m'intriguait et me perturbait tour à tour alors que je passais par des périodes de confusion, d'excitation et de panique au cours des mois qui suivirent. Je n'avais pas de modèle de rôle pour me guider. L'année précédente, dans le cadre d'une réduction des effectifs, mon mari avait été obligé de prendre sa retraite. Ce processus humiliant lui avait porté un coup terrible. Il n'y était pas préparé et en avait été terrifié. J'avais été témoin de la douleur qu'il avait ressentie à la perte de son identité, de son salaire et de sa dignité. Il n'avait pas encore repris le dessus.

Mes amis ne pouvaient pas m'aider. Ils travaillaient tous et s'activaient à se constituer un pécule pour une retraite bien planifiée, dans un avenir lointain. Les annonces de la télévision me rappelaient que la liberté ne commençait qu'à cinquante-cinq ans au plus tôt. Mon conseiller en planification financière et mon portefeuille de régime d'épargne-retraite confirmaient que je n'avais pas atteint l'âge.

Je continuais de penser à la retraite, même si j'avais peur. Que serais-je sans ma carte d'affaires ? Comment pourrais-je renoncer à l'argent, aux primes et aux options d'achat d'actions ? Mais quelque chose en moi continuait de me pousser en me faisant valoir les nombreuses choses que je voulais faire, notamment écrire. J'avais l'impression que le temps filait.

Il y avait aussi d'autres éléments à prendre en compte : l'épuisement chronique que provoquaient les exigences de mon poste et la peur que le lupus dont je souffrais ne récidive et ne m'oblige à prendre ma retraite. Si j'attendais encore, est-ce que l'épuisement ou le lupus m'empêcherait de poursuivre les intérêts que j'avais mis de côté alors que je me battais pour gravir l'échelle administrative ?

L'année passa et je coupai finalement le cordon ombilical et annonçai mon intention de prendre ma retraite. Mes collègues, partagés entre l'incrédulité et l'envie, me questionnèrent d'un regard scrutateur et avec un besoin impérieux de me raisonner. Ils me demandèrent si mon poste avait été aboli ou si j'étais tout simplement devenue folle.

Au début, il m'arrivait de me réveiller la nuit avec des sueurs froides. Mais au lever du soleil le lendemain matin, j'étais de nouveau convaincue d'avoir pris la bonne décision. Il était temps d'interrompre le rythme saccadé de ma vie et de passer le flambeau du commandement à mes brillantes recrues.

Je n'ai jamais aimé l'image qu'on associe à la retraite, en partie parce que je ne joue pas au golf et que je ne compte pas aller m'installer en Floride. J'ai toujours trouvé le réconfort dans les mots et je me tournai donc vers le dictionnaire. J'y trouvai des définitions déprimantes de la retraite comme « isolement » et « hibernation ». Mon dictionnaire analogique ne m'était pas d'un plus grand secours en donnant des synonymes comme « débandade » et « recul ». C'était le contraire de ce que je recherchais dans la retraite. Mon dictionnaire des antonymes me sauva en donnant comme contraire de « se retirer » « s'avancer ». S'avancer voulait dire atteindre une destination ou un endroit, conquérir le succès ou la gloire. Une réussite par suite de l'effort, de l'action ou d'un processus naturel. C'était ça que j'avais en tête en voulant prendre ma retraite. C'était ça mon but.

Alors, armée d'un sentiment de pionnérisme, je me réjouis de mon « arrivée ». Ça fait maintenant plusieurs mois que j'ai commencé ma nouvelle vie. Mes promenades du matin, l'absence de messages téléphoniques, de courriels et de cellulaires me donnent de l'énergie. Les journées semblent plus longues et plus riches parce que chacune de leurs précieuses minutes m'appartient. J'écoute les vagues qui impriment un rythme au sable du rivage. Pour la première fois depuis mon enfance, j'observe de près l'explosion du printemps. Je me fais donner des massages et je prends de longs bains délassants. Je visite un voisin âgé et lui apporte des fleurs. Et je consigne dans un journal intime ma journée passée à faire exactement ce que je veux.

Je lis, me replonge dans les classiques que j'avais négligés depuis longtemps. Je fais des projets de voyage et me réjouis de voir les gens et les endroits que je visiterai au cours des jours à venir. J'inspire profondément et je médite. Je passe du temps avec ma fille, mon mari et mes deux sœurs chéries. Et j'écris, jonglant avec les mots purificateurs qui se présentent à mon esprit dans ce cycle de renouvellement, m'emportant vers l'avant avec ce cadeau d'un nouveau départ que je me suis fait.

— *Pat Skene*

 La lune, deux étoiles et l'Italie

La maternité m'a beaucoup apporté : plaisir, fierté, cheveux gris et nuits blanches. Elle m'a aussi apporté la lune, deux étoiles et l'Italie. La lune est une broche et les deux étoiles sont les boucles d'oreilles dans une boîte bleue de Tiffany dont m'a fait cadeau à Noël ma fille Meg, lorsqu'elle a décroché son premier emploi à titre d'adulte (c'était la première année où elle n'a pas eu à m'emprunter de l'argent pour acheter ses présents).

Pour ce qui est de l'Italie, c'est plus long à expliquer. Alors que Meg étudiait en Italie un été, elle tomba amoureuse de ce pays. Avec son budget d'étudiante, elle ne pouvait pas acheter de livres d'art à rapporter, mais les histoires qu'elle racontait peignaient quand même un tableau admirable. Et les repas me donnaient l'eau à la bouche ! Une bruschetta croustillante, des tomates juteuses. Et lorsque je poussai un soupir à sa description des tableaux de Botticelli dans la galerie Uffizi, elle me dit : « Je sais que tu adorerais l'Italie, maman. Nous devrions y aller ensemble l'an prochain. »

Après cette suggestion, il s'écoula beaucoup de temps. Meg et moi traversâmes les périodes turbulentes que les parents et enfants connaissent lorsqu'un enfant devient adulte. Les liens entre nous qui semblaient autrefois si étroits et forts se relâchèrent avec le temps. Le fait que nous soyons séparées par 3 000 milles y fut aussi pour quelque chose. Même si j'aurais aimé aller en Italie avec Meg, l'occasion d'accepter son offre ne se présenta pas. Nous étions trop occupées à affronter les écueils de la vie. Tantôt c'était moi qui quittais mon emploi au centre-ville pour me consacrer à l'écriture, tantôt c'était elle qui recevait son diplôme de la faculté de droit. Elle se maria. Nous remodelâmes la maison. Elle déménagea à New York pour entreprendre sa carrière. Je m'inscrivis à la formation des programmes de bénévoles, chose que je n'avais jamais eu le temps de faire auparavant.

Je me disais qu'à la retraite de mon mari, nous visiterions tous les deux l'Italie. Un Noël, Meg me dit : « Il faut que je prenne des semaines de vacances cet été, mais je n'ai pas de projets. Que dirais-tu de faire ce voyage en Italie dont nous avions parlé ? Serais-tu libre par hasard ? »

Je l'étais.

Nous commençâmes par Florence. Meg avait pris des dispositions pour que le couvent où elle avait vécu comme étudiante nous héberge. Ma grande fille brune pleine d'assurance traversa à grandes enjambées le couloir tranquille menant à notre chambre. Je la suivis sans pouvoir détacher mes yeux des tableaux, des statues et des meubles antiques. Lorsque j'ouvris la porte de notre chambre, elle était debout près de la fenêtre, souriante. La fenêtre était découpée dans un mur de plâtre blanc du treizième siècle et était décorée de rideaux de gaze, allant du plancher au plafond, qui s'agitaient doucement dans le vent. Par la fenêtre, je vis, près du couvent, des oliviers dont les nouvelles feuilles commençaient à pousser. Au loin, une ligne d'arbres sombres, aussi minces et élégants que des modèles de Prada, formaient une crête sur les collines vertes. Entre les deux rangées d'arbres, la cathédrale de Florence s'élevait au-dessus des toits couleur terre brûlée, son dôme s'élançant vers le ciel, défiant la terre de la ramener vers elle.

« C'est mieux que le film *Chambre avec vue*, n'est-ce pas ? » me dit Meg.

Le lendemain matin, nous fûmes attirées vers la salle à manger par l'odeur du pain en train de cuire mêlée au puissant arôme du café en train de se faire. Après avoir dévoré les petits pains croustillants tartinés de beurre doux et de confiture de fraises et avalé le café noir fort, nous nous attelâmes à la planification de notre journée. Meg connaissait les musées à visiter tôt le matin et ceux à voir en fin de journée. Elle savait où se procurer le midi un repas bon marché. Fortes de ses connaissances, nous traçâmes notre itinéraire aussi soigneusement qu'un général son plan de bataille.

À la fin de la journée, nos pieds demandant grâce et ayant eu plus que notre ration d'art de la renaissance, nous nous laissâmes tomber dans les chaises en fer forgé d'un café extérieur. Lorsque le carafon de vin accompagné de l'assiette d'*antipasti* arriva, nous commençâmes à bavarder en sirotant notre vin de Toscane en grignotant les petits morceaux de pain aux tomates, basilic et huile d'olive.

Cette première journée, nous parlâmes d'art et d'architecture, de sculpture et de peinture, chacune étonnant l'autre par ses connaissances et quelquefois par son absence de connaissance. Lorsque nous passâmes au travers de la liste de Meg en Florence, nous allâmes à Sienne, à San Gimignano et à Fiesole. Un matin brumeux et nuageux, nous quittâmes le couvent bien avant l'heure du lever des nonnes pour prendre le train. Le soleil se levait à notre arrivée à Venise. Nous prîmes notre vin de l'après-midi et nos *antipasti* dans un petit restaurant au bord du canal, juste avant de reprendre le train pour Florence.

À Venise, nous avions commencé à parler d'autres choses que ce que nous avions vu dans la journée. Nous abordâmes des sujets dont nous n'avions pas parlé dans les cartes et les lettres que nous avions échangées pendant les huit années où elle a vécu à Washington, D.C., et moi à Portland, en Oregon. Nous mentionnâmes des choses que nous avions oublié de nous dire au téléphone au cours de ces années, comme l'endroit où nous achetions nos vêtements. Nous discutâmes des choses qui donnent profondeur et nuances à une relation, comme les livres et les films que nous aimions. Nous parlâmes de choses qui semblent assez importantes pour en parler en personne mais qui ne conviennent pas à une discussion autour de la table du réveillon de Noël, comme les problèmes que me causait ma mère qui prenait de l'âge ou mon frère alcoolique.

Nous découvrîmes que nous trouvions toutes les deux amusant de monter dans un véhicule utilitaire sport, mais que nous n'en achèterions jamais un. Elle me demanda comment je voulais que ses futurs enfants m'appellent. Nous parlâmes de ce que je comptais faire à la retraite et de ses projets de carrière avant l'arrivée des enfants et après.

Petit à petit, tout en sirotant le vin et en observant le monde qui nous entourait, nous finîmes par nous familiariser avec la vie de l'autre. À notre arrivée à Rome, nous avions le vent en poupe. Notre premier après-midi, nous allâmes à la Piazza Navonne, la place préférée de Meg et nous regardâmes les enfants qui s'aspergeaient dans la fontaine. Le lendemain, à l'heure du cocktail, elle consulta le plan, parcourut plusieurs pâtés de maisons avant de trouver la rue qu'elle cherchait et qui nous amenait à une place d'où l'on avait une vue imprenable du Panthéon. Nous trouvâmes un café, nous y assîmes et regardâmes les camions qui déchargeaient des chaises pour l'office du dimanche des Rameaux.

Le Panthéon a été un lieu de culte pendant plus de trois mille ans, comme il le serait ce dimanche. À notre visite de la cathédrale de Saint-Pierre, j'écoutai le bruit des espadrilles des touristes qui se mêlaient à des siècles de prières murmurées tout en cherchant la *Pietà* de Michel-Ange, représentant Marie et Jésus. Meg cherchait plus à remplir une mission qu'à voir une statue. Sa belle-mère lui avait demandé de lui rappor-ter une bouteille d'eau bénite, mais elle ne savait pas comment s'y prendre. Elle se disait qu'il lui suffirait peut-être de remplir sa bouteille et de prendre la fuite. Je lui dis que ce serait trop vulgaire. Heureusement, un prêtre italien qui parlait anglais eut pitié de nous. Après nous avoir dit qu'il aimait le Pepsi pour nous prouver qu'il était capable de parler notre langue, il nous emmena à la sacristie où des prêtres se préparaient pour la messe. Il demanda à l'un d'eux de remplir une bouteille d'eau bénite « pour la belle-mère de la jeune dame qui habite le New Jersey ». Nous n'avons jamais su pourquoi ils imaginaient que la belle-mère de Meg habitait le New Jersey.

Chaque jour, nous explorions des petites rues près de notre hôtel, choisissant une petite *trattoria* pour le dîner ou trouvant une nouvelle église à visiter. Grâce à une chocolaterie — que nous avions repérée par l'odeur bien avant de la voir — nous découvrîmes les énormes œufs de chocolat enveloppés de cellophane de couleur pastel dont les Italiens sont friands à Pâques. Nous achetâmes des œufs de plus petite taille à rapporter comme cadeaux, les mangeâmes de retour à l'hôtel, en rachetâmes d'autres que nous mangeâmes également.

À notre dernière journée complète à Rome, nous visitâmes les ruines de la Rome antique. C'était le dimanche des Rameaux et à cause du défilé qui souligne cette journée sainte, il n'y avait pas de voitures dans la rue. Libérées des embouteillages notoires de Rome, nous fîmes le tour du Colisée, récitâmes les fragments dont nous nous souvenions du discours de Marc Antoine : « Amis, Romains, concitoyens » à l'endroit exact du Forum et essayâmes, à l'aide de mes lointaines connaissances du latin, de traduire les anciens mots gravés dans la pierre.

Les deux semaines avaient passé en coup de vent. Dans l'avion qui nous ramenait, nous rîmes des drôles de choses que nous avions découvertes au sujet de l'autre durant le voyage : l'amour de Meg pour les fontaines, le mien pour les pancartes. Son obsession pour les portes. Mon désir soudain d'aller voir les portes du baptistère à Florence plutôt que le *David* de Michel-Ange. Nous avions pris à nous deux sept rouleaux de film, avions envoyé à la maison trois boîtes de poterie et avions un nombre incroyable d'histoires à raconter au sujet des places, de la pizza et des voleurs à la tire. J'inscrivis sur ma déclaration de douanes les friandises de Pâques, les livres d'art, l'huile d'olive et les cravates en soie dont j'avais fait l'acquisition. Quant à mon acquisition la plus précieuse, aucune question de la déclaration n'en faisait mention.

Meg m'a aidée à voir la culture du Vieux Monde à travers les yeux du Nouveau Monde. Au cours des deux semaines que nous avons passées ensemble, nous en sommes venues à voir progressivement notre ancien rapport de mère et fille sous un nouveau jour. Sans perdre la fille que j'ai toujours aimée, j'ai commencé à voir la femme qu'elle était devenue. De son côté, elle a découvert les grands traits de la femme que j'avais toujours été, cachés dans la personne de sa mère. Ma fille m'a donné la lune, les étoiles et l'Italie. Et l'Italie nous a montré la lune, les étoiles et l'univers en chacune. C'est notre plus précieux cadeau.

— *Peggy Bird*

# Chrysalide

La boîte d'allumettes, un souvenir de ma retraite solitaire au Cradle Mountain Lodge, s'échappe presque de ma main lorsque le souvenir toujours vivace qui lui est associé réchauffe mes neurones. Des émotions que je n'avais pas éprouvées depuis près de trois ans s'imposent de nouveau à moi. Et les souvenirs affluent…

Je choisis un endroit éloigné pour m'éloigner de tout : mon travail, ma famille et lui. Mais j'avais surtout besoin de retrouver le moi que m'ont fait perdre ses insécurités et mon insécurité auprès de lui.

Il m'avait fallu rassembler toutes mes forces pour m'extirper de cette relation qui m'avait étouffée et qui m'avait tant coûté. Toutefois, après, je me suis sentie vidée, perdue, les nerfs à vif. Tout autour de moi me rappelait notre vie ensemble et le caractère étrange de la vie seule. Comment passe-t-on de deux à un, de nous à moi ? Y avait-il jamais eu un « moi » dans notre mariage ?

Le thérapeute m'avait conseillé un voyage de retrouvailles de mon moi. Je me dis que le meilleur endroit était à l'autre bout du monde, en Tasmanie.

Le pavillon à Cradle Mountain était un beau bâtiment en bois de deux étages au comble sur pignons, doté d'une grande véranda. Une brume flottait sur la forêt, cachant le sommet de la montagne. L'odeur des pins était tellement prenante que ça en faisait mal à la gorge. Je me dis tout de suite que je me plairais ici.

Ma cabine était nichée au milieu des arbres, à peine visible de la route. Du bois fraîchement fendu était empilé près de l'entrée. À l'intérieur, un imposant foyer se trouvait à l'entrée de la chambre à coucher. Et la petite cuisine était bien équipée. Une petite galerie donnait sur une crique étroite et sur une petite cour hébergeant deux jeunes wallabys et un wombat. J'étais enchantée.

Je n'avais jamais pris de vacances seule et je trouvais l'expérience éprouvante tout en étant tonifiante. En dépit de l'environnement agréable, je me sentais un peu perdue.

Je me dis : « Eh bien, ma fille, si tu vas être seule, il faut que tu te prennes en main. Voyons…vais-je ouvrir une bouteille de vin ? Vais-je prendre du brie et des craquelins ? Oui. C'est parfait. Nous allons passer une excellente soirée ici.

Un feu rendrait la soirée encore plus agréable. Te souviens-tu comment faire un feu ? »

« Vaguement », répondis-je, heureuse que mon thérapeute ne puisse pas m'entendre non seulement me parler, mais encore me répondre.

Lorsque, après avoir fouillé ma mémoire d'éclaireuse, je réussis à faire un feu plus vite que prévu et en n'utilisant que quelques allumettes, j'éprouvai un sentiment de fierté.

Bientôt, les flammes commencèrent à lécher les bûches, les amenant à se consumer. La chaleur se répandait comme des ronds dans un étang, m'enveloppant dans une couverture chaude et douillette. Je m'enfonçai davantage dans le fauteuil entièrement rembourré, me fondant en lui et c'est alors que je remarquai qu'il commençait à neiger. De ma fenêtre, je pouvais voir les gros flocons tourbillonner avant de se poser sur une surface horizontale. Le vin accrochait la lumière qui projetait alors des taches rouges sur le mur, m'envoûtant. L'effet du vin commençait à se faire sentir et une douce sensation se répandait dans mon corps et mon esprit. Je n'avais jamais connu telle paix et tel contentement.

Puis, sur le mur éclairé par les flammes dansantes du feu, des scènes commencèrent à se dérouler devant mes yeux, comme si je regardais le film de ma vie. Je n'arrivais pas à détourner les yeux. Je me demandai vaguement si j'étais éveillée ou endormie, je ne le savais pas et au fond, je m'en fichais. Le spectacle commença avec des images de mon enfance, un enfant me pinçant et moi le pinçant. Les deux enfants se mirent à pleurer et je pouvais ressentir la douleur, la mienne et

celle de mon compagnon, qu'éprouvait un enfant souf-
frant dans sa chair tendre.

La projection continuait, montrant des événements
de mon passé, certains événements dont j'étais fière,
peut-être un peu trop fière, et d'autres que je regrettais.
À mesure que la bande se déroulait, la blessure en moi
s'élargissait. Ensuite, mon mariage et ses ratés commencèrent à défiler. L'enveloppe protectrice derrière
laquelle je me cachais commença à fondre et mon
chagrin s'échappa comme l'huile d'un pétrolier qui
fuit. Les larmes abondantes que j'avais refoulées
depuis si longtemps coulaient sans retenue. Je pleurai
toutes les larmes de mon corps, en sanglotant, pendant
un moment qui me sembla une éternité, persuadée que
je succomberais à la douleur.

Je constatai cependant, à travers mes larmes, que
les images changeaient. Même si les enfants conti-
nuaient de se pincer, ils s'étreignaient et s'éloignèrent
main dans la main. Les moments de fierté me semblèrent sans prétention, le comportement plus acceptable.
C'était comme si la divine Providence m'accordait la
possibilité de reconstituer les scènes à mon goût, de
réécrire mon rôle dans le scénario, de le rejouer jusqu'à
ce que je le maîtrise.

Avec cette nouvelle vision qui m'était soufflée de
ma vie, je pouvais voir clairement les situations qui
avaient mené à mon divorce, y compris le rôle que j'y
avais joué, rôle dont je ne m'étais pas rendu compte
auparavant. Avec chaque scène éclaircie et modifiée, la
douleur et le fardeau qui m'accablaient diminuèrent.
Les gros sanglots se transformèrent en pleurs bienfai-
sants et ensuite en larmes qui coulaient lentement le

long de mes joues. Ma tête et mes épaules, pendant si longtemps ployées par le remord et le désespoir, commencèrent à se redresser alors que j'exorcisais le passé.

Soudainement, une prise de conscience aiguë de mon environnement me tira de ma rêverie. C'est comme si j'avais quitté la pièce, et je dirais même le monde, et que j'y étais retournée. J'étais encore assise dans le fauteuil, un verre de vin, non renversé et non bu, à la main. Le feu n'était plus que des charbons ardents, avec, de temps à autre, une flamme tremblotante. À l'extérieur, il y avait déjà quelques centimètres de neige et dans le ciel, on voyait l'aube poindre. Je n'avais pourtant aucune souvenance de m'être assoupie ou réveillée.

J'eus un frisson, je ne sais pas si c'était à cause du froid ou de cette nouvelle conscience. Je me sentais revivre tout comme mon entourage recouvert de neige et pourtant aussi sage qu'un vieux sage ; aussi fragile qu'un flocon de neige, mais aussi résistante que l'acier. Je savais que mon fondement avait été ébranlé et rebâti, mais que mon moi, tout en étant fissuré et réparé à certains endroits, était encore debout et plus fort que jamais. Et j'étais prête à commencer à rebâtir ma vie sur cette base solide.

Alors que je tourne et retourne la boîte d'allumettes dans ma main, je me souviens de ce jour, il y a trois ans, où je suis sortie du cocon dans lequel je m'étais enfermée et que j'ai volé de mes propres ailes pour la première fois : un papillon qui a pris son envol pour un voyage de découverte de soi.

— *Cheryl Terpening*

 # L'Action de grâces
à Tucson

« J e ne participerai pas à une randonnée pédestre », déclara sur un ton péremptoire Marisa, âgée de onze ans, en sortant du lit.

« Pas de problème », lui répondit Kathy. « Il est tard de toute façon. »

Je voulais plus que tout réconforter Kathy O'Toole, la mère de Marisa et ma meilleure amie depuis la maternelle. Et il semblait que je ne serais pas en mesure de lui donner la seule chose dont elle avait exprimé tout haut le désir au cours de cette visite.

Bien entendu, c'était déjà extraordinaire d'être ensemble pour l'Action de grâces. Durant l'été, nous étions toutes les deux retournées à New York pour visiter la famille, mais nous nous étions peu vues à cause de notre emploi du temps chargé. Nous nous réjouissions de ce week-end de l'Action de grâces qui allait nous permettre de reprendre notre souffle après une année difficile. Au cours des quarante-quatre années de notre amitié, les problèmes et les chagrins ne lui avaient pas été épargnés. Alors qu'elle s'inquiétait pour la santé chancelante de sa mère qui vivait à plus de 2 500 milles d'elle, elle avait perdu son emploi lorsque son poste avait été éliminé dans le cadre d'une fusion de sociétés. Quelques mois plus tard, alors que Kathy se trouvait à New York pour donner un coup de main à ses parents, sa mère est morte et l'état de santé de son père s'est détérioré, en partie à cause du fait qu'il avait prodigué des soins à sa femme pendant une période prolongée et aussi parce qu'il avait perdu sa compagne de plus de cinquante ans. Ensuite, il y a eu le 11 septembre qui a porté un coup terrible à tout le monde, et surtout aux New-Yorkais. Kathy avait un attachement particulier envers New York, y ayant étudié, vécu et travaillé pendant de longues années. Ça, c'était les gros problèmes qui la tourmentaient. Il y avait aussi les « petites » choses, comme la réaction indésirable au médicament qu'elle avait pris pour une infection à la suite d'un traitement de canal ou le fait que la seule entrevue qu'elle avait eue depuis la perte de son emploi ne s'était pas bien déroulée.

Je souhaitais l'aider à surmonter ces épreuves, mais je venais moi-même à peine de me sortir de mes problèmes. Je n'étais pas surprise d'être aux prises avec des difficultés en même temps qu'elle. Bizarrement, nos vies avaient toujours été une image miroir l'une de l'autre. Ce n'est pas juste que nous avions fait partie des mêmes Brownies*, que nos mères avaient fait partie de la même association parents-maîtres et

---

* Groupe de scoutisme

avaient cousu et cuisiné ensemble, que nous avions décroché le même diplôme de petites universités semblables, que nous avions toutes les deux épousé un Italo-Américain, avions eu un fils à quelques mois d'intervalles et avions déménagé dans le sud-ouest à un an d'intervalle. Même si ces choses constituaient des points communs, le lien entre nous était plus serré et plus profond que cela. Depuis ce premier jour à la maternelle où nos mères nous avaient laissées à la porte, s'il arrivait quelque chose à Kathy, il m'arrivait aussi quelque chose sans que je le recherche. Maintenant, si quelque chose de bien m'arrive, je le lui dis tout de suite pour qu'elle guette la chance qui se pointera sans faute de son côté. C'est comme ça que les choses s'étaient passées cette année, bien que la pagaille dans ma carrière et l'état de santé de mes parents ne soient pas aussi graves que les siens. Ma grand-mère Ree était morte un mois après la mort de la mère de Kathy et j'essayais de la consoler tout en étant moi-même secouée par la douleur.

Kathy et Marisa étaient venues en voiture de la Californie du Sud à Tucson, un trajet de six heures, pour passer l'Action de grâces avec nous. Nous savions toutes les deux que ça nous ferait du bien d'être ensemble. Je lui proposai de préparer un repas spécial à la mémoire des femmes que nous avions perdues. Elle accepta en préparant la pâte de la célèbre recette de biscuits au pain d'épice de sa mère. Je fis de la relish aux canneberges fraîches à la mémoire de ma grand-mère Ree. Nous passâmes la matinée à rouler, couper, hacher, fouetter et décorer : choses que Betty et Ree nous avaient appris à faire et que nous avions maintenant l'occasion d'apprendre à Marisa. Alors que nous préparions le festin, Kathy et moi bavardâmes comme seules des amies intimes depuis la maternelle peuvent le faire. Nous revécûmes des expériences que personne d'autre dans notre vie n'avait vécues de la même façon et nous gravâmes de nouveaux souvenirs qui nous seraient toujours particuliers. Elle faisait valoir mon côté amusant. Il m'arrivait de commencer une phrase et de la voir hocher légèrement la tête et la finir pour moi. « Je me demande pourquoi je me donne la peine de parler ! » lui dis-je en épluchant les pommes de terre.

La fête de l'Action de grâces était réussie. Le repas que nous avions préparé était délicieux, la conversation animée et le rire cascadant. Le vendredi arriva, la journée où j'avais prévu exaucer le souhait de Kathy pour le week-end. Elle m'avait parlé quelques semaines auparavant des dépressions arrondies qu'elle avait vues au parc régional Mission Trails près de chez elle à San Diego. Au site de ces anciennes meules, elle avait senti un lien avec les femmes qui les avaient faites, laissant ainsi un vestige de leur travail : la préparation des graines pour la nourriture de leur famille. L'écho imaginé de leurs conversations faisait vibrer sa corde sensible. Elle me demanda s'il existait des meules semblables à Tucson que nous pourrions visiter. Le seul endroit où, à ma connaissance, on avait trouvé de telles meules exigerait une ascension de deux milles au canyon Pima pour y arriver et nous avions avec nous une randonneuse pédestre réticente.

L'adolescente Marisa avait été très claire : « Je ne fais pas de randonnée de quatre milles aller-retour ».

Je leur présentai les autres possibilités. Kathy et Marisa optèrent pour Sabino, où nous pourrions prendre le tram jusqu'au sommet du canyon et redescendre à pied. Nous nous préparâmes un déjeuner. C'était une belle journée, venteuse mais chaude. Au retour, nous convainquîmes Marisa de marcher davantage. Le soleil nous faisait du bien et nous avions plaisir à admirer la vue des falaises escarpées avec les saguaros tenant lieu de sentinelles et le ciel couleur bleu roi du désert. En sachant que les premiers peuples avaient vécu ici, je regardais attentivement où je posais le pied pour ne pas écraser de vestiges. Nous trouvâmes une forme parfaite en forme de baignoire dans un énorme rocher, vidé par des années de moussons d'été dans le lit de la rivière presque complètement tari. Ce n'était pas un trou de mouture, mais ce qui s'en rapprochait le plus.

Sur le chemin du retour, alors que nous étions arrêtées au premier feu de circulation, je signalai un point sur la montagne où, l'an passé, j'avais suivi un programme de deux semaines à une école en haut de cette route.

Kathy se retourna pour regarder dans cette direction. « Regarde, il y a des maisons là-haut dans la montagne ! » dit-elle.

Sans hésiter, je mis mon clignotant et je pris la direction de la route. Nous traversâmes le terrain du Ventana Canyon Resort pour regarder de plus près les maisons en construction sur les falaises environnantes. En repartant, je remarquai une enseigne indiquant le stationnement du point de départ du sentier.

« Veux-tu aller voir ? » demandai-je à Kathy. Elle acquiesça.

Nous garâmes juste à côté du sentier. Marisa préféra rester dans la voiture au lieu de se joindre à sa mère et moi pour la randonnée de vingt minutes. Nous marchâmes d'un pas rapide pour parcourir la plus grande distance possible au cours de cette mini-randonnée. Même si notre excursion à Sabino nous avait fatiguées, la marche nous faisait du bien et la conversation était plus franche à deux. Alors que je regardais ma montre pour voir si nous approchions du point de retour convenu de dix minutes, nous restâmes toutes les deux figées sur place. Dans un rocher au milieu du sentier, il y avait deux trous de mouture. Sans dire un mot, nous nous penchâmes et touchâmes les dépressions qui nous reliaient aux femmes d'une époque antérieure qui les avaient faites et les avaient utilisées. Nous avions l'impression d'entendre le chuchotement de leurs voix à travers les branches de mesquite. Nous nous redressâmes en nous félicitant bruyamment et reprîmes la descente vers la voiture.

Alors que nous arrivions à la dernière courbe du sentier avant le terrain de stationnement, une buse de Harris femelle plongea sur une branche à moins de cinquante pieds de nous. Deux jeunes femmes vinrent voir. Ensuite une vieille dame et son mari. Trois générations de femmes étaient là à admirer la buse. Une fois qu'elle nous eût rassemblés tous autour d'elle, en train de parler et de l'admirer, elle s'envola. Au point de départ du sentier, nous dîmes au revoir aux autres randonneurs. Kathy et moi allâmes retrouver Marisa qui semblait presque surprise de nous voir revenir si tôt.

Nous avions trouvé les trous de mouture de Kathy et avec eux, un autre lien entre nous et les femmes qui avaient préparé des festins de grâces avant nous. Nous avions préparé le repas de l'Action de grâces et transmis à Marisa la tradition de femmes qui s'affairent ensemble à préparer un repas. Et en cette fête d'Action de grâces à Tucson, nous étions là pour nous épauler comme seules deux amies intimes depuis la maternelle peuvent le faire.

— *Marge Pellegrino*

 # Emportée
par le vent

Le vent mugissait, fouettant la pluie contre les fenêtres de la salle de séjour. En ce triste après-midi d'hiver, il commença à faire noir vers 15 h.

Eden, ma fillette de quatre ans, regardait *Sesame Street* avec moi quand elle se leva soudainement. Elle trottina jusqu'à l'entrée et pendant plusieurs minutes, elle se démena pour enfiler ses bottes. J'attendais qu'elle me demande mon aide, mais elle ne le fit pas. Les bottes enfilées, elle décrocha d'un coup sec sa veste rouge du porte-manteau.

« Vas-tu quelque part ? » lui demandai-je en étouffant un rire. J'étais certaine qu'elle se dirigerait vers le sous-sol pour m'inviter à prendre le thé servi derrière la fenêtre à rideaux de sa cuisine miniature.

« Je vais chez Danielle. » Bien qu'elle soit petite pour son âge, Eden parlait avec l'assurance de mon patron qui, lui, avait quarante ans.

Je serrai les dents. J'évitai de pointer du doigt vers les fenêtres ou de dire que l'orage risquait de l'emporter jusqu'au pays de Oz. Le fait qu'elle ait enfilé une tenue adaptée aux conditions météorologiques démontrait un degré de jugement mûr que je n'allais pas contester.

Elle prit son parapluie Minnie Mouse. Elle avait de la peine à en tenir la poignée, les bras empêtrés dans la veste. Son chandail avait dû se retrousser au coude. Je résistai à la tentation de lui tirer les manches et je l'observai en silence.

Je finis par lui dire : « Je vais t'accompagner en auto. » Par beau temps, le trajet de cinq cents verges, sans rues à traverser, ne posait pas de problème.

« Je ne suis pas un bébé ! » Elle ouvrit la porte et regarda dehors.

J'aurais pu lui faire peur en lui disant qu'il faisait sombre et que c'était dangereux ou j'aurais pu lui rappeler que sa sœur allait bientôt revenir de son cours de danse et que nous pourrions alors faire des biscuits.

Je lui demandai plutôt : « Tu ne me donnes pas de bec ? »

Elle leva vers moi un visage rayonnant, sa fossette droite se creusant davantage. Ses lèvres humides imprimèrent un cercle chaud sur ma joue. Ses bras, emprisonnés par la veste, se posèrent un court instant sur ma poitrine. Elle ouvrit ensuite la contre-porte à moustiquaire et sortit.

Je me précipitai sur le téléphone. « Eden est en route chez vous, » annonçai-je à la mère de Danielle avant de raccrocher. J'enfilai mon manteau en vitesse, sortit mon parapluie et me précipitai dehors en pantoufles à semelle de caoutchouc.

Je me tins à quinze pieds de mon bébé. Elle avait peine à tenir son parapluie dans ce vent, mais continua à avancer sans jamais regarder en arrière. À la lumière du réverbère, je voyais que la pluie tombait dru sur son parapluie avant de couler le long de son dos.

C'était un rite de passage inattendu. L'enfant qui avait appris à marcher il n'y a pas si longtemps devenait indépendante, s'éloignait déjà de moi dans le noir, sans avoir peur. Dans la tempête de la vie, je perdais mon enfant. À sa place apparaissait la femme qui parcourrait un jour le monde.

Le rectangle de lumière d'une porte ouverte indiquait que la mère de Danielle attendait. Eden entra, sans voir mes larmes salées qui coulaient.

Avant le printemps, Tomm, notre fille de neuf ans, nous annonça son intention d'aller à un camp d'été. La passion qu'elle avait éprouvée pour les animaux errants — des chenilles aux lapins — devint brusquement une passade de l'enfance. Elle voulait maintenant s'inscrire à un camp de théâtre.

« Laquelle de tes amies y va ? » demandai-je.

Elle joua avec le lobe de mon oreille pour vérifier ma boucle d'oreille. « Aucune. »

Pourquoi étais-je surprise par son assurance ? Après tout, c'était cette même enfant à qui à deux ans et demi, j'avais confié la tâche de vider le lave-vaisselle et qui n'avait jamais cassé une seule assiette !

Au cours des semaines suivantes, alors que nous assistions à des présentations sur les divers camps, j'étouffai mon désir d'épingler ma belle petite fille sur du velours, comme un papillon rare et précieux.

« Maman », me dit-elle un soir alors que je la bordais avant de lui raconter une histoire de chevet qui nous était particulière. Elle rapprocha ses yeux en forme d'amande aussi près des miens que nos nez nous le permettaient. « Lorsque je serai grande, je veux être comme toi et pas une mère qui fait partie d'une association parents-maîtres. »

Avec le rire nerveux d'une mère qui travaille et qui se sent coupable, je lui demandai : « Et qu'est-ce qu'une mère qui fait partie d'une association parents-maîtres ? »

« Ça veut dire que toi, tu vis ta vie. »

Je voulais lui dire qu'elle était ma vie, que sa sœur et elle étaient le centre de mon univers. Que sa question était un test. Que pour le réussir, je devais les laisser libres de choisir leur destinée plutôt que d'en faire les porteuses de mes blocages et de mes peurs.

Mais je ne le fis pas.

Le sac à dos rose l'écrasait quand je la mis dans le car qui l'emportait vers le camp de son choix. Des jambes maigrelettes sortaient de ses espadrilles et ses yeux étaient sombres et graves. N'eût été de l'immense fleur jaune dans ses cheveux, elle aurait eu l'air d'un Bambi perdu.

« Je ne connais personne », me chuchota-t-elle à l'oreille, comme si elle venait de le découvrir. Sa chaude haleine, à la vague odeur de son brillant à lèvres à saveur de gomme à bulles, me donna envie de la ramener à la maison.

« Tu te seras faite une amie le temps d'arriver au camp », lui dis-je.

Et c'est effectivement ce qui se passa.

Lorsque le temps vint pour Tomm d'aller à l'université, elle choisit la plus grande des universités qui l'avaient acceptée et quelques mois plus tard, elle faisait le trajet de cinq heures en train pour participer à l'initiation des étudiants. Le lendemain, je prenais l'avion pour assister à une réunion parallèle des parents. Nous devions nous rencontrer au bureau du conseiller.

J'assistai à la discussion des parents au sujet de l'angoisse de la séparation, du deuil provenant du sentiment d'abandon. Les adultes confus qui m'entouraient avouaient que la liberté bouleversait leurs enfants et leur faisait même peur. L'étonnement que je ressentis devant cette réaction m'amena à me demander s'il me manquait un chromosome. Le genre d'attachement que ces parents décrivaient m'était inconnu. Alors que pendant toutes ces années, je pensais avoir eu des liens très étroits avec ma Tomm, je ne devais pas avoir bien rempli mon rôle de mère puisque ni l'une ni l'autre ne ressentions de déchirement à l'idée de nous séparer. Je ne lui avais pas parlé depuis qu'elle était partie la veille. Elle n'était peut-être même pas arrivée à destination. Peut-être que je n'aurais pas dû la laisser voyager seule ou que j'aurais dû insister pour qu'elle appelle. Et qu'est-ce qui nous amenait à croire de façon si cavalière qu'au cours des mois et des années à venir, tout s'arrangerait ?

Soudainement, je me demandai si je n'aurais pas dû être une maman membre d'une association parents-maîtres. Heureusement, avec Eden, cette possibilité s'offrait encore à moi.

Je transférai Eden à une école secondaire privée où sa soif insatiable de connaissances pourrait être assouvie et où je pourrais participer davantage. Mais quelques années plus tard, à l'adolescence, elle demanda à retourner à l'école publique qui offrait un plus large éventail d'activités parascolaires.

Cinq ans plus tard, à l'un de ses congés scolaires, Eden m'invita à manger du sushi. Elle avait décidé de devenir réalisatrice, mais seulement si elle pouvait devenir une grande réalisatrice. Est-ce que je trouvais l'idée farfelue ? Elle m'expliqua que c'était un secteur très concurrentiel et qu'elle devrait s'installer en Californie. Mais elle ne connaissait personne là-bas. Il serait plus facile de rester à New York, là où l'on retrouvait les grosses entreprises et où on lui avait proposé un stage.

La fossette de la petite fille de quatre ans creusait encore sa joue gauche. Mon bébé courait encore, emportée par le vent, elle se démenait encore avec son parapluie Minnie Mouse, fouettée par la pluie mais sans peur.

Ma bouche était sèche. Je me réchauffais les mains avec la grande tasse de thé chaude. C'était ma toute dernière chance de garder ma cadette à mes côtés, de la protéger.

« Tu y arriveras », lui répliquai-je, comprenant que ma tâche avait toujours été de m'écarter de leur chemin.

— *Talia Carner*

 # L'héritage légué par les courtepointes

Comme tous les lundis, j'arrive chez ma mère pour notre dîner hebdomadaire. De la cuisine, se répand l'odeur du poulet, de la sauce et des pains mollets maison. Je souhaiterais juste ôter mes souliers et me reposer les pieds et l'esprit avant dîner. Mais ma mère a déjà commencé à sortir méthodiquement les courtepointes des boîtes qui l'entourent, me montrant avec fierté les belles pièces d'artisanat. Elle se prépare pour l'exposition-vente semestrielle de courtepointes qui a lieu à l'église méthodiste unie Elmhurst de Oakland, en Californie. Depuis dix ans, Maman supervise l'équipe de piquage de courtepointe de l'église. Non seulement son groupe a-t-il piqué un grand nombre des courtepointes qui seront exposées, mais elle en a aussi piqué quelques-unes elle-même.

Elle s'agenouille sur le tapis beige pour déballer et étendre chaque courtepointe sur le plancher. Je me lève et examine les courtepointes, faisant glisser mes doigts sur les motifs assortis, admirant les piqûres et l'abondance de tissus, textures et motifs. Je nomme les motifs que je reconnais, essayant de me souvenir de leur nom et de leur signification.

« Bon, ça c'est la clef anglaise qui tourne la roue du chariot vers une cabane à rondins et en direction de l'étoile Polaire et du Canada. Mais que signifient ces triangles qui pointent dans quatre directions ? » je lui demande.

« Ce sont les oies sauvages », me répond Maman, en levant vers moi son regard alors qu'elle sort une autre courtepointe. « Si tu places cette courtepointe près des autres motifs comme le Chemin de l'ivrogne et/ou la croisée des chemins et la cabane à rondins, c'est un plan du chemin à suivre pour s'affranchir. »

Il me revient alors à la mémoire comment les différents motifs et formes servaient de cartes du Chemin de fer clandestin — un langage codé qui désignait les esclaves noirs fuyant vers le Nord, vers l'émancipation. Les esclaves assemblaient des courtepointes et les suspendaient dans leurs fenêtres et sur leurs murs pour donner des indications et réconforter les fugitifs. L'espoir devait renaître chez ces esclaves marrons quand ils se rendaient compte que des abolitionnistes les aideraient le long de la route. Je m'émerveille devant cette forme d'art qui a été transmise de génération en génération, illustrant un chapitre important de l'histoire de notre pays.

Alors que j'admire l'une des courtepointes, les textures opposées de tissu lisse et gratté, je me souviens d'une série d'exposés que ma mère a donnés il y a quelques années lors du Mois de l'histoire des Noirs.

J'ai dû la remplacer une fois. Au début, j'étais nerveuse. En serrant fort mes notes sur la recherche que ma mère et moi avions faite, j'ai commencé par donner des éléments historiques, des faits que peu de gens, y compris les Afro-Américains, connaissent. Ma voix était un peu cassée alors que je commençais à transmettre l'information que j'avais entendue ma mère communiquer si facilement et sans effort de nombreuses fois auparavant. Mais l'histoire des gens qui avaient fait les courtepointes me remplissait de fierté et de confiance. À mesure que je parlais, les mots me donnaient de la force et je comprenais qu'en partageant l'histoire de mes ancêtres, je rendais hommage à leur vie. Mes courageux ancêtres afro-américains avaient affronté les épreuves avec dignité, ils avaient utilisé une forme d'art en utilisant des aiguilles, du fil et du tissu pour consigner l'histoire de leur voyage mouvementé et de leur survie.

Après l'exposé, j'ai été récompensée par les commentaires élogieux que m'ont fait les participants et par les questions qu'ils m'ont posées. J'ai quitté la salle avec un sentiment de satisfaction et de paix, réalisant que les luttes de ceux qui avaient fait ces courtepointes n'avaient pas été vaines. Les courtepointes — leur legs — continuent de raconter leur histoire.

Mes pensées retournent à la courtepointe que j'ai en main, à ses rouges, bleus, verts et jaunes ardents cousus par les femmes de notre église, avec amour et compassion. Et ainsi le legs continue.

Comme ma mère et moi partageons notre amour de ce beau travail d'artiste, nous nous montrons nos préférées parmi les courtepointes. Maman en élève une à motif à double anneau de mariage.

« Flo m'a raconté que l'une de ses collègues cherchait un cadeau de mariage. Cette courtepointe conviendrait parfaitement », dit-elle.

Et en effet, les doubles cercles de volutes bleues et rouges formant un dessin recherché seraient parfaits pour le lit d'un jeune couple. Nous commençons à plier les courtepointes pour les remettre dans leur boîte lorsque je remarque qu'il en reste une au fond de la boîte. Je la sors.

« Qu'est-ce que c'est ? » je demande à maman.

« Oh ! » dit-elle, surprise. Les larmes lui montent aux yeux : « C'est la courtepointe de maman. »

Elle me la prend des mains, la serre contre sa poitrine, en lissant avec amour le tissu avec ses mains. J'examine la courtepointe de plus près. On dirait qu'elle a été piquée par un groupe d'élèves de l'école primaire : le motif est irrégulier, une couture à droite est légèrement de travers et, en plus, une piqûre a été manquée.

« C'est grand-maman qui a fait ça ? » je lui demande toute surprise. Ma grand-mère était une spécialiste de la courtepointe. Cela ne ressemblait pas du tout aux courtepointes que j'avais vues sur son lit à colonnes durant nos vacances d'été en Arkansas.

« Ta grand-mère souffrait déjà d'Alzheimer quand elle l'a faite. Je l'ai rapportée l'année passée et y ai fait quelques modifications et ajouté quelques motifs », me répond-elle. « Je travaille encore là-dessus. Regarde, c'est ce que j'ai repris jusqu'à présent. »

Je regarde à nouveau et je vois les endroits où elle a piqué et repiqué, repassant sur des coutures pour redresser un angle croche.

« Regarde ici, au milieu », me dit ma mère.

Je la lève vers la lumière et constate qu'il y a des mots cousus au centre. Ces mots disent :

Ma mère a fait de nombreuses courtepointes dans sa vie. Lorsqu'elle a fait celle-là, elle souffrait d'Alzheimer mais tenait à s'occuper. Elle ne comprenait pas pourquoi le résultat n'était pas beau. Je me souviens qu'elle me disait : « Ne montre pas ça. » Je pense que la dernière courtepointe de ma mère est belle. Je tenais à la finir.

« Oh, maman, c'est tellement gentil ! » lui dis-je alors que j'ai, à mon tour, les larmes aux yeux. Je comprends soudainement qu'en terminant la courtepointe de ma grand-mère, ma mère ne rend pas seulement hommage à sa propre mère, mais à tous ses ancêtres également.

En Afrique, c'était les hommes qui étaient tisserands, mais lorsqu'ils ont été importés d'Afrique comme esclaves, les femmes se sont mises à la couture, comme c'était la coutume en Europe. De sa grand-mère, une esclave affranchie, ma grand-mère a appris comment faire tous les motifs significatifs : le jardin de Grand-mère, qui est un bouquet de fleurs ; l'assiette de Dresde, aux appliques de deux ou quatre couleurs en alternance et l'étoile Polaire, qui est le motif qu'elle avait essayé dans sa dernière courtepointe. Elle avait voulu prouver qu'elle était encore capable de faire du matelassage à la fin de sa vie.

En tenant délicatement la courtepointe de ma grand-mère dans mes bras, j'ai compris que j'avais entre les mains un trésor de famille, un témoignage porté sur la beauté et la force de mes ancêtres. Je réalise alors que je commence à peine à saisir la force de leur histoire.

La dernière courtepointe de ma grand-mère sera exposée dans l'église samedi. Mais elle ne sera pas en vente car elle n'a pas de prix. Elle a été commencée avec le plus grand soin par les mains d'une femme, terminée avec le plus grand soin par les mains d'une autre : elle fera partie du tissu de notre famille. Moi aussi, je prêterai mes mains à la finition de la courtepointe spéciale de ma grand-mère. Et je continuerai à reconstituer l'histoire de nos ancêtres à l'aide de morceaux de tissu aux couleurs vives, formant un motif recherché d'espoir, de courage et de beauté. Et je transmettrai ce legs d'amour matelassé à ma fille.

— *Dera R. Williams*

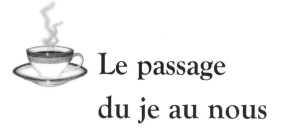 # Le passage
du je au nous

J'avais dû utiliser ce mot un millier de fois déjà. Et pourtant aucune occasion ne méritait autant ce qualificatif que les six mois passés à préparer le mariage de mes rêves et les six heures passées à porter la robe en soie blanche, unique dans ma vie, et à dire au revoir à chaque membre de notre famille et à chacun de nos amis. Ce mot, c'est *tornade*.

Dans mon cas, sa définition est devenue évidente un dimanche matin, à 3 h 45, (alors que je m'étais couchée à 2 h 15) en route vers l'aéroport, les cheveux mouillés.

Pendant la majeure partie de mes trente-trois années d'existence, je me suis demandée comment je me sentirais le lendemain de mon mariage. Autre qu'une sorte de fatigue heureuse (je comprends maintenant comment un chat se sent lorsqu'il ronronne), je ressentis ma première émotion intense lorsque j'écarquillai les yeux pour mieux voir les premières îles des Caraïbes alors que nous les survolions. David les avait déjà vues mais on ne l'aurait pas cru à la façon dont il prit ma place près du hublot et m'assit sur ses genoux pour qu'on puisse tous les deux voir en même temps. Lorsqu'il commanda du champagne, je réalisai qu'un simple anneau d'or au doigt — et non une couronne sur la tête — avait transformé l'homme que je venais d'épouser en prince charmant des temps modernes.

C'est à ce moment précis que je sentis que la lune de miel commençait et que se faisait la transition du « je » au « nous ».

Alors que David et moi allions récupérer nos bagages et nous mettions en file pour passer l'immigration à l'aéroport à ciel ouvert de Bridgetown, sous une chaleur accablante, nous commençâmes à reconstituer le brouillard qu'avait été la réception de mariage il y a à peine quelques heures. « Tu as dansé avec ma nièce ? Très bien ! » « As-tu bavardé un peu avec tante Dee ? » « Comment nos amis ont-il abouti sur la scène avec les musiciens ? »

C'est alors que je remarquai un couple en avant de nous dans la queue. Eux aussi avaient un anneau d'or brillant au doigt, elle aussi avait une manucure française. Ils nous ressemblaient un peu, à la différence près qu'elle avait pris le temps de se faire sécher les cheveux. C'était le premier couple de jeunes mariés du groupe qui s'était marié le même jour que nous que nous finirions par rencontrer lors de notre lune de miel. Je me sentais soulagée, d'une certaine façon, de rencontrer d'autres nouvelles mariées dont le grand jour était venu et passé comme une tornade.

Mais je ne cessais de penser à ma belle robe. La robe « parfaite », qui avait été un exercice délicat de magasinage auquel une mère et sa fille se préparent pendant des années, était restée à la maison, jetée en travers du lit.

Une fois que nous eûmes défait les valises, David et moi nous rendîmes rapidement compte de la différence entre des vacances et une lune de miel. Nager ne vous rafraîchit pas, nager attise le désir. Le dîner ne signifie pas la fin d'une journée, mais l'aube de la soirée. Faire la connaissance de gens vous donne l'occasion d'utiliser les mots « mon mari », « ma femme ».

David mangeait en même temps que moi, même lorsqu'il n'avait pas faim. En retour, je réussis presque à boire autant de rhums que lui. Nous nous couchâmes en même temps, nous nageâmes à la même heure et nous partageâmes tout ce qui nous frappait. Nous vîmes tout : depuis les anémones de mer en plongée observées avec des lunettes de nage jusqu'à la ligne de côte qui décrit une courbe majestueuse du haut de ce que nous apprîmes plus tard être la route des risques, atteinte lors de notre promenade en tacot de location. Et, progressivement, mon incrédulité face au passage de notre journée de noce se transforma en excitation au sujet de l'avenir de notre mariage.

Le mariage avait commencé par être au sujet de nous deux et fini par être un grand rassemblement de gens que nous aimions mais au sein desquels nous nous étions tous les deux un peu perdus. La lune de miel nous ramena à l'essentiel. Quand deux amoureux sont seuls en terre étrangère, ils se souviennent de la raison première pour laquelle ils sont tombés amoureux.

Ce n'est toutefois que quatre jours après notre mariage que je commençai à sentir que nous formions une famille. Le coucher du soleil était particulièrement splendide ce soir-là, mais ce n'était pas ça la raison. Nous avions dîné sous les palmiers au tronc ceint de lumières blanches scintillantes, mais ce n'était pas ça. Chose curieuse, c'est l'entrée de poisson fumé que David prit qui me donna mes premiers pincements de cœur de femme mariée. Il commença à être malade avant l'arrivée du plat principal et arrivés au dessert, nous savions que quelque chose clochait. Nous prîmes le premier taxi qui passait pour retourner à l'hôtel. Qu'est-ce qui se passait ici ? C'était lui qui souffrait d'empoisonnement et moi qui me sentais mal ?

La dernière nuit de notre lune de miel, le centre de villégiature où nous étions descendus monta un spectacle avec des artistes locaux dans un numéro de danse du limbo et autres numéros de variétés dont nous nous souviendrions longtemps. Mais le moment le plus inoubliable fut celui où ils demandèrent aux jeunes mariés de se lever. Je pouvais entendre les couples mariés depuis longtemps se dire en leur for intérieur : « Ils ont l'air si heureux…mais ça ne durera pas. »

C'était quelque chose à laquelle j'avais aussi pensé. Comment entretenir la flamme ? Même si nous vivions ensemble depuis près de deux ans, durant notre lune de miel, je retombai amoureuse. Je ne voulais pas que la réalité du travail et des dîners en face de la télévision relèguent ce sentiment aux oubliettes. Je ne m'attends pas à me sentir comme une jeune mariée pour le restant de mes jours. Mais j'aimerais garder au fond de mon cœur l'image des yeux bruns pétillants de rire de

David sous le parasol d'une piña colada pour la ressortir au besoin.

Le lendemain, en attendant la navette qui nous ramènerait à l'aéroport, nous prîmes un dernier repas. Lorsque David commanda un sandwich au salami et des frites au lieu de croquettes de poisson volant et de croustilles de banane plantain, je sus qu'il était temps de rentrer chez nous.

C'était il y a presque quatre mois et depuis, nous avons souvent dîné devant la télévision. Nous avons aussi visionné à quelques reprises la vidéo de notre mariage en mangeant. Grâce à la vidéo, aux histoires que nous ont racontées parents et amis et aux photos et au journal que nous avons tenu durant la lune de miel, nous avons pu combler les trous de la tornade qu'a été le mariage.

Ce faisant, j'ai fini par comprendre le sens d'un autre mot : la *paix*.

— *Julie Clark Robinson*

À Pearlie,
avec toute
mon affection

La saison des fêtes amène un flux d'émotions. Pour d'aucuns, c'est une période de joie et de paix. Pour d'autres, c'est la période la plus turbulente de l'année. Pour un grand nombre, c'est malheureusement une période de grande solitude.

Il n'y a pas très longtemps, je me suis sentie stressée et n'ayant pas vraiment le cœur aux préparatifs habituels des fêtes, je souhaitais que la saison de Noël soit quelque peu différente, qu'elle ait un sens plus profond que le tourbillon habituel de décorations, de cadeaux et de repas. Mon mari et moi avions la chance d'avoir cinq beaux enfants, des parents et amis que nous chérissions, un travail qui nous plaisait et qui nous permettait de vivre confortablement dans notre petite communauté au bord de la mer. Et à Noël, nous souhaitions partager les cadeaux de la vie.

Nous ne voulions pas nous contenter d'un don anonyme à une œuvre de bienfaisance. Il nous semblait trop facile et trop indifférent de faire un chèque ou d'acheter des jouets, de les emballer et de les livrer. Je ne savais pas exactement ce que nous ferions, mais je voulais que notre famille infléchisse la vie d'une autre personne. Je voulais un lien spirituel.

Mon mari me proposa alors d'adopter une famille par le biais de l'Armée du Salut.

« Nous l'avons déjà fait à plusieurs reprises », lui rétorquai-je. De toute façon, même s'il était bon de donner aux familles dans le besoin participant au programme de l'Armée du Salut, aucun contact personnel n'était permis. Je désirais avoir un lien avec la personne que nous aiderions, connaître son nom, être en mesure de lui demander ce qu'il lui fallait et le lui fournir. Je ne voulais pas lire une liste de gens sans nom, en ne sachant rien de personnel à leur sujet et acheter des choses que quelqu'un d'autre m'a demandé d'acheter pour eux. Convaincue qu'il existait quelque part quelqu'un dont je pourrais modifier de façon matérielle et personnelle le cours de la vie, je continuai ma recherche. Mais toutes les agences auprès desquelles je m'informai opéraient de la même façon : il fallait se contenter d'envoyer de l'argent ou des cadeaux, sans interaction en face à face avec les indigents.

Un soir, en feuilletant une revue à la recherche d'idées d'artisanat pour la fête à l'école de ma fille, je tombai sur un article au sujet d'une organisation appelée le « Box project » (le Projet colis). Des familles étaient jumelées avec une personne âgée ou une personne vivant dans un quartier démuni du Mississipi. Une fois par mois, il fallait envoyer un colis surprise rempli de ce que l'on voulait. On incitait les parties à communiquer. On recommandait d'inclure parfois dans le colis des choses que l'on ne pouvait acheter avec des coupons alimentaires puisque la plupart des familles en recevaient déjà. Le fait que l'on encourageait la communication piqua ma curiosité et je notai le numéro de téléphone. J'appelai ensuite l'agence pour avoir de plus amples renseignements.

Il me sembla que l'attente était longue, mais je finis par recevoir la trousse du Projet colis. Brûlant d'impatience de préparer un colis pour Noël pour quelqu'un, je brossai notre portrait en indiquant le montant que nous étions disposés à dépenser tous les mois et je remplis un formulaire d'engagement. L'agence demandait des frais minimes pour couvrir les coûts administratifs. Il y avait aussi une mise en garde à l'effet que si les demandes d'articles devenaient farfelues ou que les articles demandés étaient coûteux, nous devions informer l'agence sans délai. Et c'est cette mise en garde qui me faisait un peu douter. Mon mari se demandait si je ne m'exposais pas à une déception.

« Qu'arrivera-t-il si tu te donnes corps et âme pour découvrir que la personne qui reçoit veut seulement en retirer le plus possible ? » me demanda-t-il.

Son argument était valable. Mes amis laissaient percer les mêmes préoccupations, qui parfois frisaient tout simplement le cynisme. Ils semblaient peu enclins à croire que la plupart des gens n'étaient pas des opportunistes. Je fis toutefois acte de foi et me préparai à toute éventualité, déterminée plus que jamais à voir ma famille améliorer la vie de quelqu'un, ne serait-ce qu'un tant soi peu.

À la mi-décembre, soit deux semaines avant Noël, je reçus la lettre attendue. Je rentrai à la maison en courant et déchirai l'épaisse enveloppe. Le profil qui m'avait été envoyé était celui d'une dame à la fin de la soixantaine, vivant dans une collectivité rurale de Jackson, au Mississipi. Elle s'appelait Pearlie. On me donnait sa taille et on me décrivait l'endroit où elle habitait tout en me donnant des indications générales sur ce dont elle aurait besoin.

J'envoyai tout de suite une lettre de présentation à Pearlie, comme le recommandait la trousse d'information et j'attendis sa réponse. Quelques jours plus tard, elle me répondait dans l'enveloppe préadressée et pré-affranchie que je lui avais envoyée, comme me l'avait recommandé les administrateurs du Projet colis. Elle se présentait et disait sa joie de faire partie du programme. Elle ne voulait rien pour elle pour Noël, juste quelques petites choses pour sa petite-fille de cinq ans qui habitait avec elle à l'époque.

Prise d'une excitation fébrile, je fis appel à la générosité et à l'enthousiasme de la classe de deuxième année de ma fille. Cela devint en fait leur projet des fêtes. Chaque élève apporta un petit article : une lotion pour les mains, du shampooing, des pansements, du dentifrice. Certains apportèrent des articles pour la petite fille, comme des crayons à dessiner, un bloc-notes, des ciseaux, des rubans pour les cheveux et de la peinture. Toute la classe rédigea un message de souhaits des fêtes à l'intention de Pearlie et de sa petite-fille, que nous mîmes dans la boîte des dons de la classe et envoyâmes au Mississipi.

Chez nous, nous préparions un autre colis pour Pearlie et sa petite-fille. Nous avions acheté quelques vêtements pour la petite fille et des articles de maison pour la grand-mère. Nous écrivîmes aussi une lettre, une carte de Noël et inclûmes une photo de notre famille. Dans la lettre, je lui demandais de me dire ce qui lui serait le plus utile pour que je sache quoi lui envoyer le mois prochain.

Lorsque, peu de temps après, je reçus la lettre suivante de Pearlie, j'étais aux anges. Elle m'écrivait ceci :

C'est le Seigneur qui a dû vous envoyer à moi. Tout était parfait et je vous en remercie du fond du cœur. C'est le dernier mois que ma petite-fille vit avec moi. Dans quelques jours, elle retournera vivre chez sa mère. Elle me manquera, mais je ne suis plus capable de prendre soin d'elle. Ma fille s'en tire mieux et elle peut donc la reprendre chez elle. Je suis heureuse de l'envoyer chez sa mère avec de nouveaux vêtements et de nouveaux jouets. J'ai beaucoup aimé ce que vous avez envoyé et je vous en suis profondément reconnaissante.

Sa lettre me remplit de bonheur. J'arrivai finalement à la ligne où elle indiquait ce qu'elle aimerait recevoir le mois suivant :

Pourriez-vous avoir l'obligeance de m'envoyer des culottes en coton, de taille huit, et du papier d'aluminium ?

Je restai surprise. Cette dame aurait pu demander n'importe quoi. Et pourtant, elle me demandait en toute humilité des culottes en coton et du papier d'aluminium !

Ça fait maintenant plus d'un an que je corresponds avec Pearlie et que je lui envoie un colis tous les mois. Ses lettres — qui décrivent son état de santé précaire, son déménagement à un appartement subventionné et son bonheur à l'idée d'avoir accès à une laveuse — me sont une source d'inspiration. Ce sont les plus petits colis qui rendaient Pearlie le plus heureuse. Lorsqu'elle a déménagé par exemple, elle m'a demandé des débarbouillettes. Il lui arrivait de demander des choses qu'elle pourrait donner à sa fille. Comme elle est diabétique, elle a été très contente de recevoir des bonbons sans sucre. Comme elle est dialysée, elle a été émerveillée par les petits articles de luxe que je lui ai envoyés pour l'aider à passer le temps durant ses séances de traitement, comme le petit magnétophone à cassettes et les nombreuses histoires sur bande. Lorsqu'elle a mentionné qu'elle grelottait parfois au cours de la dialyse, je lui ai envoyé un chandail tricoté main et un plaid. Elle adore recevoir des lotions et poudres parfumées. La plupart des choses que je lui envoie sont des articles de base, que la majorité d'entre nous tiennent pour acquis. Pour Pearlie, ce sont des trésors. Elle continue de me demander, tous les quelques mois, de ce « merveilleux papier d'aluminium » et je le lui envoie avec plaisir.

En décembre dernier, je perdis ma grand-mère bien-aimée. Même si elle avait accepté l'idée de mourir, il était triste de la perdre. Dans mes lettres, j'avais parlé à Pearlie de ma grand-mère. Quelque temps après Noël, j'égarai mes notes biographiques sur Pearlie dans le désordre qui suivit les fêtes. Je lui écrivis pour lui demander la date de son anniversaire.

Elle me répondit, en me manifestant le même épanchement d'amour et de gratitude, et en me disant qu'elle serait honorée de m'avoir pour fille ou petite-fille. En retour, je me sentis chanceuse et honorée. Je tournai la lettre pour lire les dernières phrases et je fus ébahie de voir que Pearlie me disait que son anniversaire tombait le 20 février. Comme ma grand-mère !

Mon mari et mes amis sont stupéfaits du résultat. Convaincus au début que je ne trouverais que découragement et déception, ils sont maintenant tout aussi charmés de ma participation à ce projet formidable. Toute la famille comprend maintenant qu'on retire un plus grand plaisir de donner que de recevoir.

J'espère un jour pouvoir aller au Mississipi pour rencontrer Pearlie. Dans l'intervalle, nos lettres et les colis mensuels continuent de consolider notre amitié croissante. Pearlie a donné à ma famille quelque chose de plus grande valeur que ce qu'il y a dans les colis que nous lui envoyons. Elle nous a donné un petit peu d'elle-même et je lui en suis profondément reconnaissante.

— *Kimberly Ripley*

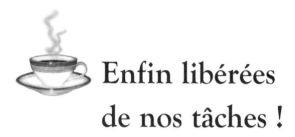 # Enfin libérées de nos tâches !

L e traversier est secoué par les vagues et la pluie frappe fort la vitre. Depuis des heures, nous essayons de la voir ; nous scrutons de nouveau l'horizon à travers les fenêtres embuées et l'obscurité, mais l'imposante dame au flambeau s'est mise à l'abri. L'épais brouillard cache la Statue de la liberté, ne nous montrant qu'une vague luminescence mouillée.

Nous attendions ce moment depuis des années : le plaisir de nous promener ensemble une journée complète : descendre la septième avenue, prendre le traversier aller-retour à Staten Island, l'autobus jusqu'à la sixième avenue et ensuite au parc, le trajet de retour. Deux amies, qui venaient de loin pour renouer : celle qui venait d'un autre continent avait dû traverser l'océan, l'autre, qui venait du Maryland, avait emprunté les autoroutes du Nord. La pluie diluvienne efface la séparation et les distractions, ralentit la conversation, l'échange de souvenirs et le rire.

Nous avions travaillé ensemble il y a de nombreuses années de cela. Nous étions alors des enseignantes sérieuses et savantes. Nos talons hauts et nos robes nous donnaient l'air sérieux. Nous étions savantes parce que nous avions appris une langue ou deux avant les élèves à qui nous enseignions et qui étaient plus jeunes que nous d'au moins dix ans.

En ce temps-là, il fallait attendre cinquante minutes avant de se retrouver, laisser la cloche signaler la fin du cours cinq fois par jour, libérant des adolescents abattus par la conjugaison des verbes et les exercices de grammaire. Les étudiants se précipitaient vers la porte à la recherche de l'intérêt romantique du jour et nous allions surveiller les couloirs.

Nous étions jeunes et chanceuses : de nous retrouver dans la même école, dans des classes en face l'une de l'autre. Nous étions chanceuses d'être affectées tous les ans à la surveillance des couloirs et des autobus — nous tenant debout ensemble entre les cours, surveillant les couloirs aux carreaux de céramique d'un vert morne, les casiers rabattus brutalement et les planchers aussi lisses qu'une patinoire et, à la fin de la journée, la ligne continue des autobus de couleur jaune jusqu'au départ du dernier. Nous étions chanceuses d'être ensemble pour affronter la sale besogne de prof. Les directeurs parcouraient les couloirs, surveillant notre surveillance, inspectant tout ce qui leur semblait suspect, chuchotant dans des émetteurs-récepteurs portatifs. Mais nous avons quand même réussi à protéger notre identité.

Notre vrai travail consistait en fait à bavarder et à rire. Nous n'avions pas besoin pour cela d'émetteur-récepteur portatif. Nous restions en contact par le biais des clips sonores de la surveillance des corridors, cinq minutes toutes les heures. Comme des détenus qui ont droit à une courte visite, nous riions, pleurions et affrontions ensemble les difficultés de la vie tout en étant évaluées sur la qualité de notre surveillance des corridors, des toilettes et des autobus. Nous avions reçu notre affectation : empêcher les étudiants de courir, de mâcher, de se pousser, de s'embrasser, de se tuer, de s'étreindre et de se battre. Nous nous acquittions de nos tâches l'air sérieux, tout en bavardant.

C'était le début de l'âge adulte, les années où nous remplissions le rôle qui nous était dévolu. En surveillant les corridors, nous avons aussi élevé nos enfants, réglé nos problèmes conjugaux, pris des décisions et partagé nos fantasmes et nos rêves. Entre les pauses régénératrices de cinq minutes, il y avait les milliers d'heures passées enfermées dans une pièce en blocs de béton mâchefer : Français, salle 102, Espagnol, salle 103 — cinq classes par jour, 150 examens par soir. Le travail était dur, mais nous avions les périodes de surveillance des couloirs, des toilettes et des autobus, nous nous avions et nous avions le rire.

Deux femmes dans le corridor qui essuient les traces de craie sur leurs mains et essaient d'enlever l'encre duplicateur violette de leurs jupes ; nous enseignions et nous bavardions. Mais c'est durant ces tranches de cinq minutes que notre personnalité prenait forme. Et au crépuscule, dans le terrain de stationnement, nous continuions à débattre des événements de la journée. Ensuite, faisant monter nos propres enfants dans une Corvair pour la semaine de relâche et pique-niquant l'été, nous essayions d'élever nos enfants tout en acquerrant de la maturité.

Maintenant, il n'y a plus que la pluie, le tangage et le bruit du moteur du traversier. Les casiers ne sont plus rabattus brutalement, il n'y a plus d'étreinte dans les corridors et nos enfants ont grandi. Nous sommes loin de l'époque des pauses et clips sonores.

Aujourd'hui, nous avons le luxe de vingt-quatre heures lentes et insaisissables.

Je vous le dis maintenant : faites-vous dans la vie une amie qui débattra avec vous des problèmes de l'existence. Trouvez cette personne qui sera responsable des corridors, des autobus, des enfants, du couple, qui jouera le rôle de parent et travaillera en plus. Essuyez la poussière de vos mains ensemble. Attendez-vous à ce que la vie vous sépare. Protégez vos souvenirs et vos rires par une clôture. Et attendez. Le jour viendra où, dans un autocar, un train ou sur le pont d'un traversier sous la pluie, vous vous promènerez une journée entière devant une femme dissimulée qui monte la garde auprès de deux femmes à la conversation animée et au rire continu.

— *Davi Walders*

# Bien meublé
en amour

Nous nous frayâmes un chemin dans la forêt, appréciant la brise rafraîchissante du soir. La lune brillait entre les feuilles, nous guidant le long du chemin. Mon mari ouvrait la marche, maman et papa le suivaient, rouspétant contre la folie de ne pas pouvoir utiliser une lampe de poche, nos quatre enfants venaient ensuite et moi je fermais la marche, savourant la noirceur croissante. Nous parlions à voix basse, appréciant le calme du bois autant que la compagnie des autres.

« Si vous pouviez être un arbre, quelle sorte d'arbre seriez-vous ? » demandai-je aux autres.

Les enfants plus âgés comprirent tout de suite le jeu et commencèrent à nommer les arbres qu'ils aimeraient être.

Mon père dit avec un sourire ironique : « Je me suis toujours considéré comme un chêne solide. »

« Tu as raison papa, tu es certainement fait de bois dur », lui rétorquai-je sur le ton de la plaisanterie.

Mon fils de huit ans me demanda : « Et que serait papa ? »

« Oh, très certainement un érable rouge, le roi des arbres », lui répondis-je.

« Je veux être un arbre de Noël », s'exclama ma fillette de trois ans. « Maman, j'ai chaud ! »

Elle arrêta la procession et enleva son coton ouaté à capuchon que je fourrai dans ma poche kangourou avant. Son grand frère me lança aussi sa veste que je nouai autour du cou. Les autres garçons baissèrent eux aussi la fermeture éclair de leur veste et me la lancèrent. Je ressemblais davantage à une commode d'enfant trop pleine qu'au saule élancé que je m'imaginais être. Toutes les portes ouvertes, chaque coin bourré de choses, des vêtements débordant de chaque tiroir, j'étais en désordre, mais pleine.

Je pensai que nos caractères ressemblaient davantage à un meuble qu'à un arbre. J'ai commencé la maternité en tant que berceau, marchant comme un canard au cours de ma grossesse. Je me suis balancée et dandinée alors que mon bébé faisait la culbute et se tournait dans le cocon confortable. Lorsque je me suis finalement allongée, j'ai senti que le bébé enlevait d'un coup de pied sa couverture et se retournait à l'intérieur de moi, prêt à jouer.

Après leur naissance, je suis devenue leur lit. Je me souviens d'avoir tenu mon deuxième enfant en position verticale pendant de longues nuits sans sommeil. Il appuyait sa tête somnolente sur mon épaule, heureux de sentir les battements de mon cœur près des siens, tandis que son petit frère s'agitait dans mon ventre. À mesure qu'ils grandissaient, je suis devenue leur tabouret, leur échelle et même leur causeuse. Un fauteuil de repos ne se compare pas aux bras d'une mère lorsque le sommeil joue à cache-cache avec un enfant épuisé. J'ai calé une tête molle dans le creux de mon épaule et posé des jambes pendantes par-dessus mes bras et leur ai fredonné, sans prononcer un mot, une berceuse que seuls nous deux comprenions.

À bien y penser, je suis la fille d'un établi. Dans son petit coin du sous-sol, mon père passait des heures à sculpter des jouets, des étagères et des meubles, couvert de sciure et de copeaux de bois. Mais il faisait plus que sculpter des choses sur ce vieil établi. Pendant qu'il sciait, sablait et sculptait, j'étais perchée en face de lui et apprenais l'importance de se débarrasser du bois mort et de polir le bon. Maintenant, mon père ressemble davantage à un placard à l'ancienne. Au plus profond de lui sont enfouis des trésors et des larmes que je n'aurais jamais imaginés. Il ne verrouille jamais les portes et bien que les gonds soient rouillés et grinçants, il est toujours heureux de m'accueillir.

Ma mère, elle, a toujours représenté plus qu'un grand sofa confortable, le genre dans lequel on s'enfonce dès qu'on s'assoit dessus. Lorsque je rentrais à la maison après une longue journée à l'école, j'adorais me jeter dans ses bras. J'ai grandi en connaissant la délicieuse sensation de m'enfouir dans son sein qui sentait toujours le Noxzema et les vêtements fraîchement lavés. Maintenant que je suis une adulte et plus grande qu'elle, je regarde toujours ma mère comme je le ferais dans un miroir. Elle me réfléchit le vrai moi, et non pas l'image prétentieuse ou poignante que j'essaie de faire passer pour la réalité. Elle insiste pour que je me voie telle que je suis, sans maquillage, ni faux espoirs, avec une vision franche et vraie.

J'ai épousé une bibliothèque. Mon mari stocke les souvenirs et les ressort lorsque nous sommes assis tranquillement ensemble. Il me procure un endroit où me décharger de mes soucis et une tablette où classer les choses à ne pas oublier. Il peut être portatif ou fixe, au gré de mes besoins. Il est solide, attaché au mur de sorte que quelles que soient les choses que je range dans cette bibliothèque, elle ne s'écroule pas. C'est le trésor de notre vie ensemble.

Et mes enfants ? Eh bien, ce sont évidemment mon armoire à trousseau.

— *Julia Rosien*

 # L'organdi rose

Esther se tenait debout près du placard, essayant de décider si elle mettrait le tailleur bleu marine ou la jupe et le gilet de laine gris. Esther détestait avoir à faire un choix, et surtout s'il s'agissait d'une tenue vestimentaire. Juste l'effort lui donnait parfois mal à la tête.

Ce n'est pas qu'elle n'ait rien à se mettre ou que son placard ne contienne pas une large sélection de beaux vêtements. C'est juste qu'elle craignait toujours que sa tenue ne convienne pas à l'occasion.

Aujourd'hui, ils assisteraient à un concert dans le parc, un événement en plein air où les spectateurs pourraient s'asseoir sur le gazon en buvant de la limonade à l'aide d'une paille. Les jeunes seraient probablement en jeans et les gens d'âge moyen, en pantalon et chandail. Esther ne voulait pas avoir une tenue trop décontractée pour son âge, ni trop élégante pour s'asseoir sur une couverture dans le parc.

Elle pensa appeler son mari qui était dans la chambre à coucher pour lui demander son avis, comme elle avait toujours eu la tentation de le faire au cours de leurs années de vie commune sans jamais passer aux actes. Une fois de plus, elle résista à cette envie. Elle se ressaisit, sortit la jupe et le gilet gris, regarda chaque pièce, soupira, les posa sur le lit à côté des perles qu'il lui avait offertes pour son anniversaire et commença à se changer.

Tout à coup, le souvenir lointain d'un événement qui avait brisé son cœur d'adolescente à l'époque lui remonta à la mémoire.

Il avait trois ans de plus qu'elle, un étudiant de dernière année qui jouissait d'une grande popularité alors qu'elle n'était qu'une petite étudiante de deuxième année. Ils n'avaient pas de cours ensemble et leurs chemins ne s'étaient jamais croisés, mais elle l'avait vu souvent de loin. Elle le trouvait beau. Grand de taille et élancé, il avait des cheveux bruns ondulés avec une mèche qui lui tombait sur le front et des épaules faites pour s'y appuyer. Il portait des souliers de toile blanche qui lui donnaient un aspect je-m'en-foutiste qui ne correspondait pas, son cœur le lui disait, à sa vraie nature.

Elle avait fini par savoir quels cours il suivait et sa classe d'attache. Elle avait aussi appris qu'il s'appelait Alan. Mais elle ne l'avait jamais abordé, ne lui avait même pas dit bonjour. À la fin de l'année scolaire, elle avait appris des autres filles une chose qui avait fait palpiter son cœur : il s'était trouvé un emploi d'été comme emballeur au supermarché où sa mère travaillait comme caissière.

Sa mère faisait d'habitude l'épicerie au magasin avant de rentrer après le travail et il n'y avait donc aucune raison pour Esther d'y aller. Mais sachant que Alan partirait probablement pour l'université à la fin de l'été, elle fit une chose qu'elle n'aurait pas fait autrement. Un samedi, elle s'arrêta au magasin pour acheter un paquet de gomme. Il fut impossible à sa mère de ne pas remarquer la bouche grande ouverte d'Esther qui, debout près de la caisse enregistreuse, regardait le terrain de stationnement par la fenêtre. Alan, les muscles de ses bras et de son dos bien marqués sous son t-shirt blanc, cette mèche diabolique qui brillait au soleil, semblait flotter à la surface du terrain de stationnement dans ses fameux souliers blancs, alors qu'il aidait une vieille dame à mettre les sacs à provisions dans sa voiture.

« Est-ce que ça va Esther ? » lui demanda sa mère en lui saisissant le bras, craignant sans aucun doute que sa fille ne soit sur le point de s'évanouir. Esther se posait la même question.

La vue du garçon qu'elle adorait de l'autre extrémité des corridors et de la pelouse de l'école lui avait enlevé l'usage de la parole. Ses mains tremblaient et la peur et la gêne lui donnaient la nausée. Elle ne voulait pas qu'il la voie. Sans un mot à sa mère, elle s'enfuit du magasin et courut jusqu'à la maison, claqua la porte derrière elle, se jeta sur le sofa et se mit à pleurer.

« Esther », lui dit sa mère quand elle rentra du travail et trouva sa fille dans sa chambre, absorbée dans la lecture d'un roman. « Pourquoi ne sors-tu jamais ? Tu es toujours assise dans ta chambre en train de lire. Les jeunes filles de ton âge sont membres d'un club, sortent avec des garçons, vont magasiner ensemble. Toi, tu ne fais que lire. »

Esther boudait derrière son livre. Sa mère la poussait toujours à se joindre à un groupe, mais Esther était heureuse de lire et d'écouter des disques. Elle trouvait qu'elle sortait suffisamment à son goût. Elle assistait à tous les matchs de football de son école, elle allait à la bibliothèque tous les samedis. Ça suffisait, non ? Qu'est-ce que sa mère voulait de plus ?

« Je veux que tu sois heureuse, Esther. Je veux que tu rencontres un gentil garçon », lui répondit sa mère.

Esther lâcha son livre. « Maman, ça ne m'intéresse pas ! »

« Mais tu vas le rencontrer. Il t'a vue au magasin aujourd'hui et m'a dit qu'il aimerait t'inviter à la soirée dansante de l'université », lui répondit sa mère.

Esther se leva d'un bond. « Maman, je ne veux pas aller à la soirée dansante ! Et en plus, je n'ai rien à me mettre. »

« Ton placard est plein à craquer, Esther. »

« Mais… »

« Je sais ce que tu vas me dire. Que tu n'as pas de robe convenant à une soirée dansante. Je vais te donner de l'argent pour aller en ville t'acheter une belle robe. Tu verras, tu vas beaucoup t'amuser à cette soirée. »

Esther n'avait pas le choix. Elle avait toujours obéi à sa mère. Elle irait, mais elle ne danserait pas. Elle prétendrait qu'elle ne savait pas danser. Elle dirait qu'elle s'était fait mal au pied.

« Qui est ce garçon ? » demanda-t-elle l'air abattu.

Sa mère sourit. « Il va te plaire. C'est le nouvel emballeur au magasin et il est très gentil. »

Le cœur d'Esther battait la chamade. Elle ne pouvait pas aller à cette soirée. Elle serait incapable de parler ! Elle passerait la soirée à trembler !

Esther ne savait pas quoi mettre pour aller à une soirée dansante, surtout à l'université. Elle fit le tour des magasins, regarda les robes et choisit finalement une robe en organdi rose, qui s'arrêtait au genou et qui avait un col montant et des manches à hauteur du coude. Elle se rendit alors compte qu'elle n'avait pas de souliers assortis. C'était la mode d'acheter des souliers à dessus en tissu et de les faire teindre de la couleur de la robe. Esther retourna chez elle avec des souliers roses.

La soirée fut un désastre. Esther s'assit dans un coin, essayant de se montrer aimable, mais complètement malheureuse. Les filles d'université aux cheveux relevés sur la tête, aux longues jupes noires droites et aux blouses à encolure dégagée ou de type bustier, semblaient beaucoup plus âgées et sophistiquées qu'elle. Personne ne portait de souliers roses. Tout le monde dansait, sauf elle.

Tandis qu'Esther était paniquée et prête à se fondre dans le mur le plus proche, Alan semblait s'amuser. Il bavardait avec elle, lui souriait, allait lui chercher des boissons gazeuses et des croustilles en contournant la piste de danse, parlait aux gens qui passaient à côté d'eux. Chaque fois qu'Esther regardait la piste de danse et toutes ces jolies jeunes filles, elle ne se sentait pas à sa place, éprouvant de la honte d'avoir gâché la soirée d'Alan et de l'empêcher de danser avec ces jolies filles.

De retour chez elle, elle se mit à sangloter, la tête enfouie dans l'oreiller. Elle se disait qu'elle n'oserait jamais se montrer à nouveau à Alan. Elle s'était rendue ridicule en portant de l'organdi rose et des souliers roses comme une fillette de six ans à une pièce de théâtre de l'école du dimanche, assise dans un coin, incapable de danser, faisant tapisserie.

La semaine suivante, Alan l'appela pour l'inviter à nouveau. Il n'en était pas question. Elle était trop humiliée et était certaine de l'avoir humilié aussi.

Esther sentit une main sur son épaule.

« Prête ? »

Elle se tourna vers lui, ajustant le gilet sur la jupe. Jupe grise. Gilet gris. Cheveux gris.

« Tu es ravissante », lui dit-il.

« Merci. Mais je suis grise de la tête aux pieds. »

« Mais quand tu me souris », lui dit-il en caressant ses cheveux, « tes joues rosissent et tes yeux brillent comme des étoiles dans un ciel de nuit. »

« Crois-tu que j'ai l'air acceptable ? »

« Plus qu'acceptable, mon amour. »

Il la prit dans ses bras et elle se sentit aimée et protégée dans son étreinte chaleureuse.

« Mais sais-tu Esther », ajouta-t-il, « quelque ravissante que tu sois aujourd'hui, tu ne le seras jamais autant que ce soir où je suis tombé amoureux de toi avec ta robe d'organdi rose et tes souliers roses. »

Elle se pressa contre sa poitrine, comprenant enfin qu'elle avait fait le bon choix, et non seulement pour l'organdi rose.

— B.J. Lawry

 # Lundi matin

« Nous pouvons jouer sous la PLUIE. Ce sera AMUSANT ! J'aime la PLUIE ! »

Le bruit que fait William en chantant tout seul me réveille. Sa chanson n'a pas d'air, mais il accentue le dernier mot de chaque phrase. Je me retourne dans le lit pour regarder du coin de l'œil le réveille-matin. Il est 6 h 35. Je ferme les yeux, en souhaitant vaguement qu'il ne soit pas 6 h 35, qu'il ne soit pas lundi matin et que je ne sois pas obligée d'être partie d'ici avec William dans une heure.

« Et la PLUIE. Elle TOMBE. Tout est MOUILLÉ ! Va-t'en PLUIE ! »

Le chant continue. Je reste couchée, pensant à tout ce que je dois faire. Nous allons commencer la lutte quotidienne : William essayant de m'entraîner vers le monde du faire semblant et moi essayant de l'entraîner vers le monde de la réalité des tâches quotidiennes : ramasser ses vêtements, manger son petit déjeuner et aller à l'école et au travail. Je me sens déjà frustrée car je sais comment gagner à ce jeu alors qu'il ne sait même pas qu'il joue.

Je me tire hors du lit et je monte en trébuchant jusqu'à la chambre de William. Il est couché sur ses draps Winnie L'ourson, les jambes écartées dans son pyjama Toy Story, et je me rends compte que ce pyjama est devenu trop petit pour lui. Lorsqu'il me voit, il s'assoit en souriant. Ses cheveux, comme d'habitude, sont tout embroussaillés. Je n'ai presque jamais le temps de mettre de l'ordre dans sa tignasse et ce ne sera pas le cas aujourd'hui. Je me contente de plaisanter avec le personnel de la garderie qu'il fait son imitation grunge de Ethan Hawke.

William commence à parler comme si la nuit n'avait été qu'une pause dans notre conversation.

« Les rétrocaveuses se salissent. »

« Oui, William. »

« Les roues se salissent quand les machines avancent. »

« Bon, mon chéri, assez parler des rétrocaveuses pour le moment » je lui réponds en prenant un ton patient. « J'aimerais que tu choisisses des vêtements parce que nous devons nous dépêcher ce matin. Tu dois aller à l'école et maman, au travail. Ton pantalon vert et ton col roulé rayé sont propres. Veux-tu les porter ? »

« Mais pourquoi est-ce que les roues se salissent, maman ? »

« William ! » Ma voix commence à montrer de l'agacement. « Nous parlerons des rétrocaveuses plus

tard. Pour le moment, nous devons choisir des vêtements. Veux-tu porter la chemise rayée ? »

« Mais maman, pourquoi est-ce que les roues se
salissent ? » Sa voix devient plus aiguë.

« William, si tu ne réponds pas à ma question, je
choisirai tes vêtements à ta place ! »

« Non, ne choisis pas mes vêtements ! » Il parle sur
le même ton que moi. Il se traîne jusqu'à sa commode,
en ouvre un tiroir laborieusement et en sort une
chemise à manches courtes. Nous sommes le 1er
décembre.

« Tu peux la porter si tu choisis un pull molletonné », lui dis-je, en sachant fort bien que cela causera
une dispute plus tard. Il accepte.

Lorsque nous descendons, il est 6 h 52 et nous ne
sommes pas encore en retard. Je me dirige vers la
cuisine et commence à faire bouillir l'eau pour le thé.

« Maman, veux-tu jouer avec moi ? » me dit
William en tenant un camion à benne basculante dans
une main et en me tendant une petite niveleuse Tonka
de l'autre.

« Mon chéri, nous n'avons pas le temps maintenant. J'aimerais ça, mais nous sommes très en retard. »

En fait, nous ne sommes pas encore en retard, mais
c'est ma phrase réflexe le matin. « Dis-moi maintenant
ce que tu aimerais manger ce matin. Tu peux avoir des
céréales, un bagel ou des œufs avec des rôties. » Je me
mords la langue après avoir dit œufs et rôties car c'est
ce qu'il préfère, mais il voudra m'aider.

« Des œufs et des rôties ! » répond-il évidemment.

Après avoir cassé trois œufs dans le bol, William se
tient prêt avec le batteur à œufs. Je me résigne à accep-

ter son aide, mais le regrette en voyant les éclaboussures jaunes gluantes sur le comptoir. « Fais attention à
ce que tu fais William. Garde les œufs dans le bol ! »

Mon ton acerbe lui fait lever les yeux vers moi. « Je
suis désolée William, mais nous sommes en retard ! »

Enfin, il s'assoit. Il a empilé les œufs sur sa rôtie à
la gelée et la fait glisser sur son assiette en imitant le
son d'un camion d'incendie.

À 7 h 37, j'ai pris ma douche et me suis habillée
pendant que William regarde *Sesame Street*. L'idéal
serait que nous soyons en train de sortir du garage
dans trois minutes, mais cela semble incertain. Il reste
des vêtements à enfiler. Lorsque j'apporte à William
ses bottes, il m'annonce : « Regarde maman ce que je
peux faire ! » Il est assis à califourchon sur l'un des
bras du fauteuil comme s'il montait à cheval. Je me
retiens de lui dire que nous sommes en retard et je
réussis à murmurer un « bravo » peu enthousiaste
alors que j'essaie de glisser ses pieds dans les bottes de
randonnée.

« Ce sont mes bottes de construction, n'est-ce pas
maman ? » Il prononce le mot « construction » avec
détermination et sérieux, étirant la syllabe du milieu,
les yeux plissés par l'effort. Ce n'est pas qu'il ait de la
difficulté à prononcer le mot, c'est juste que la construction est une affaire sérieuse pour William. Vient
ensuite la question du pull molletonné.

« William, il faut que tu enfiles ce pull. »

« Mais je n'ai pas froid », me répond-il. Il est maintenant 7 h 42.

« Tu n'as peut-être pas froid maintenant, mais il fera froid dans l'auto. Enfile ton pull molletonné maintenant. »

« J'ai une bonne idée ! » Il change de tactique. « Je le mettrai une fois dans l'auto ! »

« Tu ne peux pas le mettre pendant que tu es attaché dans ton siège de voiture. Mets-le tout de suite ! » Ma voix trahit mon affolement.

« Mais Heather et Rachel disent.. » C'est sa dernière stratégie : faire appel à la sagesse de ses monitrices.

« William ! » que j'explose. « Nous n'allons pas en discuter aujourd'hui. Hors de question. Je vais te mettre le pull molletonné. Nous sommes très en retard et tu dois enfiler le pull. Si ça te fait pleurer, j'en suis désolée. »

Ça le fait pleurer et j'en suis désolée.

Alors que William se glisse sur la banquette arrière, ses cils sont encore mouillés, mais les larmes ne sont plus qu'un léger frémissement lorsqu'il inspire. J'entre dans la voiture. L'horloge de bord indique 7 h 47 au moment où je sors du garage. Je n'écoute que d'une oreille une entrevue avec un expert militaire qui parle de la technologie de la guerre du Golfe.

Alors que je suis arrêtée au feu rouge à l'entrée de notre quartier, William pousse l'un de ses camions sur ses genoux en imitant doucement le bruit du moteur. L'interviewer pose une question au sujet des « bombes guidées ».

La voix explique « et elles peuvent descendre une cheminée et aboutir dans le salon de quelqu'un.

« Maman, maman ! » William est fébrile. Je regarde dans le rétroviseur. Ses yeux sont grands ouverts et ses lèvres, légèrement entrouvertes. Sur un ton révéren-cieux, il me dit : « Ils parlent du père Noël ! »

Lorsque le feu tourne au vert et que nous nous glis-sons dans le flot de voitures du lundi matin, William me demande : « Maman, pourquoi pleures-tu ? »

« Ce n'est rien mon chéri » je lui dis alors que je regarde dans le rétroviseur le visage brillant de mon fils. Tout d'un coup, il importe peu que nous soyons en retard de nouveau, que le comptoir soit constamment gluant d'œuf et que William ne quitte jamais la maison impeccablement peigné. L'assurance innocente de William que seul le père Noël descend de la cheminée me force à voir le monde à travers ses yeux. La tension, la précipitation et l'irritation du matin se dissipent devant la beauté innocente de mon fils. William a quatre ans et il croit au père Noël.

— *Ellen Jensen Abbott*

On est sûrement mercredi

Je l'ai toujours su. Les amies comptent beaucoup dans ma vie.

J'ai toujours pensé que c'était bon d'avoir des amies ou qu'en tout cas, ça faisait partie intégrante de mon être. Pourtant, lorsque mon mari se plaignit que mes amies prenaient trop de place, ce devint une accusation, une raison de la souffrance de mes enfants. Je promis de changer. Je lui dis que je cesserais d'appeler Mary, que je mettrais un terme à mes visites à Doris. Je lui donnai une liste de modifications à mon comportement, mais en vain.

« Tu ne peux pas changer, c'est ta nature », me dit-il et il partit.

Bien entendu, il avait toujours été un spécialiste de la diversion efficace, choisissant un élément qui provoquerait chez moi la culpabilité, un élément qu'il m'était impossible de changer et, surtout, un élément qui n'avait pas de rapport avec lui. Pendant un temps, sa tactique fonctionna, jusqu'à ce que je découvre l'existence de *son* amie très chère qui, par pure coïncidence, devint sa femme peu de temps après le divorce.

Lorsque nous nous séparâmes, mes amies vinrent me voir, une à une. Grâce à leur écoute, leur aide, leur affection, les pleurs et les rires que nous partageâmes, je retrouvai la femme que j'étais et je progressai vers celle que je pourrais être. Il m'arrivait de regarder leur attachement avec un tel émerveillement que ça me prit du temps à déceler la vérité qui se cachait derrière cet attachement.

C'est tout simplement ce que les femmes font. Nous manifestons notre présence.

Et nous ne laissons jamais tomber nos bonnes amies. Jamais. Ça fait partie de notre féminitude, et même si ce n'en est pas nécessairement la meilleure partie, ça reste une partie assez merveilleuse. À mesure que nous passons par les stades successifs de la vie, chacun avec ses caractéristiques, nos amies ont la capacité unique de nous fournir ce qu'il nous faut pour survivre et, en fin de compte, nous épanouir.

Même si je l'avais toujours su, j'en devins plus consciente et plus attirée par le miracle de l'amitié. Cette prise de conscience m'aiguisa les oreilles et m'amena à prêter attention. Elle finit par me guider vers la maison de Joyce Ebner, qui vit à cinq milles de chez moi.

Je ne connaissais pas Joyce. C'était une amie d'amies. C'est par l'entremise d'amies communes que j'entendis parler de Joyce et que je lui demandai une entrevue.

« Si je réussis à comprendre ce qui se passe avec Joyce, me dis-je, je comprendrai ce qu'est le merveilleux. »

Je me rendis à l'entrevue pensant en sortir déprimée. J'en sortis confondue de beauté.

Au fil des ans, Joyce Ebner se fit de nombreuses amies et ces amitiés évoluèrent. Les discussions au sujet de la colique cédèrent la place aux conversations au sujet des réunions de l'association des parents-maîtres. Lorsque ces réunions et les après-bal des finissants furent de l'histoire ancienne, elles parlèrent de l'équipe de basket-ball de l'école secondaire (un des nombreux intérêts de Joyce), de politique et du monde. À ces égards, Joyce et ses amies ressemblent à n'importe quel groupe de bonnes amies, n'importe où dans le monde.

Les points saillants de sa vie sont impressionnants et ils seraient intimidants s'ils n'étaient pas mêlés aux dons de grâce et d'humilité qu'elle possède. À vingt-six ans, elle décrochait un doctorat en microbiologie. Mariée depuis plus de trente ans à un homme attentionné, ils ont eu six enfants, dont deux sont devenus médecins. Vedette de son club d'investissement, elle était spécialiste du domaine des finances. Mais ce qui était surtout remarquable au sujet de Joyce — l'essentiel même de sa vie —, c'était sa foi. Elle se répandait dans l'air qui l'entourait et l'imprégnait.

En août dernier, Joyce commença à présenter une faiblesse inhabituelle dans les jambes. Au début, les médecins n'étaient pas certains de sa cause. En octobre, le diagnostic tomba comme un coup de couperet : sclérose latérale amyotrophique (SLA ou maladie de Lou Gehrig). La SLA est une maladie autoimmune incurable qui détruit graduellement les nerfs qui commandent les muscles et, finalement, les organes. La faiblesse finit par causer la paralysie. Mais, bien que la SLA détruise systématiquement le corps, elle n'affecte pas le cerveau.

L'évolution de la maladie l'obligea à utiliser un fauteuil roulant et ensuite un ventilateur. Et c'est à ce moment que le monde de Joyce et de ses amies subit un changement. Il devint évident que bien que la famille de Joyce soit très soudée et que Joyce soit une personne très autonome, elle avait besoin d'aide pour certains aspects de la vie. Jan Coleman, une de ses amies, fut inondée de messages d'autres amies qui voulaient faire quelque chose. Elle alla alors voir la famille.

« Tout le monde veut aider, leur dit-elle, laissez-moi tout organiser. »

Et elle organisa tout. Elle constitua, avec l'aide de quelque huit femmes, divers comités. Il y a le comité de l'alimentation, organisée par Marty qui comprend une cinquantaine de femmes qui apportent des repas à la famille trois ou quatre fois par semaine. Il y a le comité religieux de gens de son église qui lui apporte la communion et prie avec elle au début de la journée.

Il y a un groupe de « soignantes » du matin comme elles se sont nommées. Mais ce terme semble trop clinique pour ce qu'elles représentent pour Joyce et ce qu'elles font pour elle. Ce sont les meilleures amies de Joyce : Sally, Jan, Joann, Charlcie et Judy. Elles ont chacune leur journée, qui ne change jamais. On peut connaître le jour de la semaine d'après la voiture garée dans son entrée de garage.

Pourquoi le font-elles ?

« Joyce l'aurait fait sans hésiter pour nous » disent ses amies.

Cinq jours sur sept, ce sont ses meilleures amies qui l'aident à démarrer la journée. Elles arrivent vers 8 h et repartent à 13 h 30, de façon à donner à la famille de l'aide, mais aussi du temps avec elle. Elles la baignent et la coiffent. Elles l'aident avec sa physiothérapie. Elles ont dressé une liste de remplaçantes qu'elles peuvent appeler en cas d'empêchement. Mais cela est rare car elles sont très jalouses de leurs matinées.

Les amitiés nées avec les réunions de l'association des parents-maîtres sont maintenant plus intimes. Les lignes de démarcation ont été effacées ; la communication est différente. Rien n'est tenu pour acquis ; pas une seconde n'est perdue, pas un mot important n'est tu.

Mais certaines choses n'ont pas changé. Tous les matins, à 11 h 30, Joyce s'assoit avec une de ses amies qui lui fait boire du café. Si l'amie, distraite par le nettoyage de la cuisine, oublie l'heure, Joyce lui lance un regard féroce et l'amie sait que c'est l'heure de s'asseoir et de bavarder. Et alors l'amie parle : du dernier match de basket-ball de l'école secondaire ou de politique ou encore de ce qui se passe dans le monde.

Parfois, tout change et pourtant, rien ne change. Le soleil se lève. On prépare une bonne tasse de café. Des amies partagent.

Aujourd'hui, une familiale Audi est garée dans l'entrée de garage de Joyce. On doit être mercredi.

— *Sue Vitou*

# Regarde dans le miroir, ma chérie

Tante Sadie dormait avec un oreiller en satin qui était supposé ne pas déranger sa coiffure. Je le trouvais bien ordinaire. Mais tante Sadie insistait pour que je le regarde de plus près ; je verrais alors que c'était un oreiller magique, avec bosses et courbes, et que les chercheurs de MIT avaient prouvé scientifiquement qu'il protégeait la coiffure et donnait l'air de sortir de chez le coiffeur. C'était la version de tante Sadie et elle ne voulait pas en démordre. Cet oreiller était l'un de ses biens les plus précieux.

« Neuf dollars et quatre-vingt-quinze cents pour un oreiller qui me garde séduisante, qui incite les hommes à me regarder. Qu'est-ce que je pourrais demander de plus ? » me disait ma tante Sadie.

Qui étais-je pour discuter avec les chercheurs de MIT ? Qui étais-je pour discuter avec ma tante Sadie ? Qui étais-je pour douter de l'existence de la magie, même sous forme d'oreiller ?

Mais ce que je ne comprenais pas, c'était pourquoi tante Sadie voulait que ses cheveux gardent pendant une semaine la forme d'une sculpture grise rigide, collante et bouffante, avec une telle quantité de laque que même une tornade n'aurait pas réussi à déranger un cheveu.

« Tante Sadie, lui disais-je, ce sont les années 90. Les cheveux devraient avoir l'air naturel aujourd'hui. »

Cela n'intéressait pas tante Sadie. Elle avait quatre-vingts ans ; lui demander d'essayer quelque chose de nouveau était vain. Et d'ailleurs, elle aimait sa coiffure et elle adorait le rituel de faire embaumer ses cheveux tous les vendredis, à 15 h. Ça la rendait heureuse.

C'était la mode dans sa génération. La sœur de Sadie, ma tante Rose, se donnait aussi beaucoup de mal pour que sa coiffure reste en place. Tante Rose avait une méthode spéciale : elle enroulait ses cheveux le soir dans du papier hygiénique. Ça me rappelait la façon dont la barbe à papa est enroulée au cirque : on empilait les couches sucrées blanches jusqu'à former un cône. Rose enroulait le papier hygiénique jusqu'à ce que sa tête soit couverte d'un turban blanc pour garder ses cheveux aussi rigides que la barbe à papa sur son cône.

J'avais l'impression que mes tantes voulaient que leurs cheveux ressemblent à des balles de foin bien taillées attendant d'être peintes par Monet, les beaux ballots gris dans la lumière du crépuscule qu'il n'avait jamais peints. Mais bien que la mode changea de semaine en semaine et que la technologie apporta des changements spectaculaires dans notre vie quotidienne, les rituels de beauté de Rose et de Sadie demeuraient immuables. Et alors qu'avec l'âge, le corps de mes tantes changeait — rendant l'ouverture de bocaux difficile et la marche, un exercice d'aérobie — les rituels concernant leurs cheveux aussi rigides qu'un carton, eux, ne changeaient pas. C'était comme si elles vivaient hors du temps. Et elles continuèrent de mener une campagne pour m'inculquer l'importance des rituels féminins.

J'étais une dure à cuire. Refusant leurs méthodes de contrôle de la chevelure, je continuais à laisser mes cheveux flotter, les secouant furieusement comme une crinière de cheval devant leurs yeux incrédules.

« Ton comportement t'attirera des ennuis », m'avertissaient-elles.

Elles changèrent ensuite de tactique. Avec de l'espoir plein les yeux, elles me présentèrent un autre rituel féminin : le port de bijoux. Elles pensaient que cela me dompterait.

« Il y a toujours de la place pour les bijoux, tout comme il y en a pour le Jell-O », m'affirmait tante Sadie. Nous étions une famille de mangeuses de desserts et elle espérait que cette ruse marcherait.

Mes tantes m'offraient des moules de Jell-O au citron, garnis de perles, de broches, de faux brillants et d'opales. Comme je continuais de refuser, elles accentuèrent la pression.

Lorsque j'allais leur rendre visite, elles scandaient « Et où sont les bijoux ? »

Je scandais en retour : « Je n'en porte pas, je n'en porte pas. »

Le fait que je ne porte pas de bijoux et que je refuse leurs coercitions répétées de porter les bijoux qu'elles me donnaient était source de grande douleur pour mes tantes.

Elles me disaient en se lamentant : Toutes les femmes doivent porter des bijoux. C'est anti-patriotique que de ne pas en porter. »

« Dans ce cas, j'imagine que J. Edgar Hoover sera à ma porte la semaine prochaine pour m'arrêter ! » ironisais-je.

« Ne la ramène pas ! » me répliquait ma tante Sadie. « Il est bien trop occupé pour aller te voir. » (Ne vous avais-je pas dit qu'elles vivaient dans le passé ?)

Mes tantes étaient inébranlables dans leur détermination à me gagner à leurs façons féminines. Elles agitaient devant moi des breloques en or ou en argent. Elles insistaient pour me donner des objets chers et permettre ainsi aux bijoux de revivre. Elles étaient certaines que j'adopterais leur façon de penser au sujet de la nécessité des bijoux dans le monde moderne. Elles soutenaient qu'une vraie femme porte toujours des bijoux.

Tante Sadie se demandait quel était mon problème.

Tante Rose me disait : « Ça ne te tuera pas de porter un bracelet. Porte des bijoux. »

« Un peu de rouge à lèvres ne te ferait pas de mal », ajoutait tante Sadie.

« Pas de bijoux » rétorquais-je à mes tantes qui ne voulaient pas m'entendre.

Plus elles insistaient, plus je résistais, jusqu'à ce que je devienne aussi folle qu'elles et refuse de porter quoi que ce soit qui rutile, bouge, fasse du bruit ou scintille.

Ce devint trop éprouvant pour elles et elles en pleuraient. Et même si je refusais d'en démordre, je commençais à me demander si ma victoire valait leurs larmes.

Au quatre-vingt-septième anniversaire de tante Rose, mes tantes recommencèrent leur rengaine au sujet des bijoux, comme deux personnages d'une vieille émission de radio. Je me souvins que dans ma jeunesse, ma mère m'avait conseillé de choisir mes batailles judicieusement. Et je me souvins des larmes de mes tantes. Je compris que les bijoux ne valaient plus la bataille et j'acceptai de prendre une bague à opale et un bracelet en argent. Toutes fières, mes tantes enlevèrent leurs babioles et me les donnèrent, en un moment historique : mon initiation à la société de la féminité. Ce petit geste de ma part rendit ces deux vieilles dames que j'adorais très heureuses.

Aujourd'hui, je m'achète des bijoux de fantaisie chaque fois que j'en ai l'occasion. Je suis devenue une collectionneuse du voyant et du pas cher. Est-ce que je me sens plus femme ? Eh bien, je dois admettre que oui, un petit peu en tout cas. Mais je le fais surtout pour honorer ma tante Rose et ma tante Sadie.

Je peux les voir dans l'au-delà en train de cajoler les anges « Tu veux ressembler à une vraie femme ? Change de coiffure, mets-toi un peu de rouge à lèvres ou de fard à joue, porte des bijoux. Tu te sentiras beaucoup mieux ma chérie. »

— *Elizabeth P. Glixman*

 # Une abondance de cadeaux

« Si tu veux être mère, c'est parce que tu en as eu une bonne. »

La vérité de ce commentaire de mon amie m'a tout de suite sauté aux yeux. Ma mère m'a entourée de tant d'amour que j'ai hâte de montrer que moi aussi, j'en suis capable. Je souhaite tout simplement partager ce que j'ai reçu en partage.

J'ai hâte de créer un environnement tellement sûr et chaleureux que mes enfants n'y seraient limités que par leur imagination. Maintenant que mes sœurs et moi sommes des adultes, nous nous émerveillons des jeux que nous inventions enfants. Un escabeau n'était plus ce que papa utilisait pour peindre, mais le poste de maître-nageur que nous utilisions pour transformer la cour en piscine. Au cours de l'été 1972, l'allée d'accès au garage ne servait plus pour les autos. Nous en avions fait notre toile personnelle, occupées à en colorer chaque pierre avec la boîte de crayons à dessiner géants.

Grâce à l'amour de ma mère, je me suis toujours sentie la fille la plus belle, la plus intelligente et la plus spéciale de la classe. Imaginez alors ma surprise de constater que ce n'était pas vrai en regardant d'anciennes photos de classe. Le renforcement positif de ma mère a quand même fonctionné. Je suis parvenue à l'âge adulte avec l'assurance que je pouvais y faire face. Et même si, au fil des ans, j'ai appris que ce n'était pas toujours le cas, la voix chaleureuse de ma mère continue de me donner le réconfort dont j'ai besoin de temps à autre.

Mes deux sœurs sont devenues mères bien avant moi. En dix-huit ans, ma sœur aînée n'a jamais raté une partie de balle molle, de basket-ball ou de football. C'est maintenant la fille de ma sœur cadette qui est la fille la plus jolie, la plus intelligente et la plus spéciale de la classe. Cinq jeunes gens chanceux seront un jour de bons parents d'autres jeunes gens chanceux.

Je n'en étais pas entièrement consciente à l'époque, mais quand j'y repense, je suis persuadée que je suis tombée amoureuse de mon mari David, en partie parce que j'estimais qu'il ferait un bon père. Chaque fois que son œil de lynx découvre une puce sur notre Dalmatien et qu'il entreprend une mission de recherche et destruction de l'intruse, je me sens heureuse pour nos enfants à naître. Chaque fois qu'il regarde quelque chose d'aussi banal qu'une clôture, je sais qu'il ne regarde pas une clôture, mais qu'il en analyse la construction. Et je me sens heureuse pour nos enfants à naître.

Lorsque, à Pâques, le père de David, le grand-père patient qui attend, nous fait courir, David, sa sœur âgée de trente-cinq ans et moi dans la cour en pyjama à la recherche d'œufs de plastique coloré remplis de bonbons et d'argent, je me sens heureuse pour nos enfants à naître.

David et moi partageons la même excitation à l'approche d'un orage ou d'une tempête de neige. Nous prenons plus de plaisir à la soirée Friandises ou bêtise ! que n'importe quel adulte de notre rue. Il n'existe pas encore de tâche que je ne peux transformer en jeu et depuis qu'il ne joue plus à la maisonnette montée dans un arbre, David en construit une dans sa tête. Et tout ceci me rend heureuse pour nos enfants à naître.

Je ne peux concevoir une image de joie plus pure que celle d'un nourrisson fraîchement baigné qui s'appuie contre mon cou. Mais ma vision de la maternité va beaucoup plus loin : elle va au-delà des cubes de construction et de l'arithmétique, au-delà des forts dans la neige et des kiosques à limonade, au-delà du premier rendez-vous et même de la dernière nuit passée sous notre toit avant de partir à la conquête du monde.

Après avoir décroché mon diplôme, j'ai pensé que les occasions de m'imposer dans le domaine de la publicité seraient nombreuses. Mais, dix ans plus tard, je doute que mon travail apporte grand-chose au public, sauf peut-être à ceux qui souffrent de psoriasis. Maintenant que je suis en plein âge adulte, je crois fermement que le plus beau cadeau que je peux donner à mon petit coin du monde est un ou deux êtres humains bons, forts sur le plan affectif. Peut-être que l'amour est ce que j'ai de mieux à transmettre.

Alors que nous sommes en train de planifier la grossesse, j'éprouve un sentiment à la fois familier et vague — comme la visite éclair de quelqu'un que j'ai connu il y a longtemps. Même sous le masque de la réalité qui accompagne automatiquement toute personne dans la trentaine, je sens mon cœur battre d'anticipation comme il ne l'a pas fait depuis l'époque où j'étais la plus jolie, la plus intelligente et la plus spéciale fille se réveillant le matin de Noël dans une chambre pleine de surprises.

Sauf que, cette fois-ci, le cadeau durera pour le restant de mes jours, et plus encore.

— *Julie Clark Robinson*

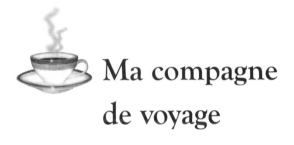

Ma compagne
de voyage

Ingrid et moi nous promenons sur la rue Prince-Arthur, nous arrêtant çà et là pour examiner les bijoux faits à la main, regarder les vitrines des boutiques de vêtements de style faussement artiste ou admirer les élégantes poteries. Six pâtés de l'avenue sont interdits au trafic et artisans, musiciens, touristes et résidents se mêlent dans cette atmosphère colorée de foire.

Nous nous arrêtons pour observer un artiste en train d'exécuter un portrait au pastel d'un jeune couple heureux. Le visage du jeune homme a déjà été dessiné et l'artiste s'attache maintenant à rendre le visage de la jeune femme. Il choisit la bonne nuance d'aigue-marine pour saisir ses yeux pétillants et une chaude couleur corail pour donner du gonflant à son sourire adorateur.

Ingrid et moi avons des photos de « couple heureux » à la maison, prises lorsque nos maris étaient nos « petits amis ». Un après-midi de la fin de l'été, nous avons fait tous les quatre une croisière sur un vieux bateau. Mon mari, qui était alors mon petit ami, m'entoure de ses bras alors que je me laisse aller en arrière contre lui, nos cheveux châtains se détachant sur la toile de fond de couleur sarcelle du lac Ontario.

Aujourd'hui, nous ne nous tenons plus aussi près. Alors que notre mariage battait de l'aile, le stress a creusé le fossé qui nous sépare. Ses cheveux ne sont plus de la même couleur que les miens ; ils sont complètement gris, en partie à cause de l'hérédité et en partie à cause de la maladie.

Sur la photo du couple d'Ingrid, on donnerait quinze ans à son petit ami — maintenant mari — , ce qu'il a eu l'air d'avoir pendant de nombreuses années. Aujourd'hui, à quarante-quatre ans, on lui donnerait la trentaine, si ce n'était des pattes d'oie qui traduisent son inquiétude au sujet de la profonde déception de sa femme de ne pas avoir eu d'enfants. Le corps, autrefois jeune, maigre et nerveux d'Ingrid, s'est usé pour maintes raisons. La prise de médicaments et le stress en sont responsables, mais surtout les fausses-couches suivies de périodes de deuil pour les enfants qui ne naîtraient pas.

Les applaudissements en avant de nous nous intriguent et nous nous joignons au cercle formé autour d'un jeune homme juché sur un monocycle et jonglant avec des flambeaux. Nous l'observons, le sourire aux lèvres. Il termine son numéro de façon gracieuse en descendant de son perchoir par une culbute vers l'avant, nous salue bas et fait rouler son haut-de-forme élimé le long de son bras. Nous fouillons nos poches à la recherche de pièces à y mettre pour marquer notre appréciation.

Plus loin, l'odeur alléchante d'agneau au citron, à l'origan et à l'ail imprègne l'air du soir. Nous nous asseyons à la terrasse d'un restaurant grec de la place. Ingrid et moi choisissons un délicieux Cabernet que le serveur s'empresse de nous apporter.

Je sais qu'Ingrid ne devrait pas boire à cause des médicaments qu'elle prend. Mais nous sommes en vacances et pour elle, la vie est une succession de choix dont aucun n'est définitif.

« Je ne crois pas qu'à longue échéance, le fait d'adhérer strictement aux recommandations des médecins donne de meilleurs résultats », dit-elle toujours.

Nous dégustons le vin en étudiant le menu. Les plats sont grecs, mais le menu est imprimé en français et je le lui traduis en anglais.

Au cours de nos voyages, il nous est souvent arrivé de traduire pour l'autre, Ingrid se fiant à l'allemand appris à la maison et moi au français élémentaire appris à l'école secondaire. Avec le temps, nous avons appris quelques expressions dans d'autres langues : « Un café s'il vous plaît » et « C'est à combien ? » Je n'avais jamais eu à traduire les mots mariage et fausse-couche.

C'est arrivé alors que nous bavardions avec de jeunes touristes franco-canadiens. Ils se demandaient ce que deux femmes d'âge moyen faisaient dans une auberge de jeunesse de Montréal. Je leur ai expliqué que nous étions mariées, mais que nos maris n'aimaient pas notre façon de voyager. Leur question suivante a évidemment été :« Avez-vous des enfants ? »

J'ai jeté un coup d'œil furtif à Ingrid. Elle a hoché légèrement la tête. La maladie de mon mari et mon déséquilibre hormonal nous avaient empêchés d'en avoir et Ingrid et son mari n'y avaient pas réussi non plus. J'ai essayé d'expliquer dans un français hésitant, essayant une traduction littérale : « Elle a perdu les enfants. »

Ils se sont regardés d'un air interrogateur : Perdu ? L'un deux a fini par dire : « Tombent ! Les enfants tombent ! »

J'ai expliqué à Ingrid ce que voulait dire en anglais tombe. La traduction n'avait pas la même connotation de vide ou de tristesse que le mot anglais *to loose*.

Nous avons commencé par des hors-d'œuvre qui, à 5,95 CA$, sont une aubaine compte tenu de notre budget limité. Ça nous permet de prendre l'agneau comme plat principal et de goûter un peu à tout. Les hors-d'œuvre arrivent et nous nous délectons de *dolmades* (feuilles de vigne farcies), de *spanikopita* (triangles de filo aux épinards), de *taramasalata* (tartinade de caviar, feta et olives kalamata), ce qui réveille en nous des souvenirs de notre séjour en Grèce, l'apothéose de l'été que nous avions passé à voyager ensemble il y a quinze ans.

« J'aime manger avec des gens qui manifestent à haute voix leur plaisir de manger », me dit Ingrid. Ce week-end, nous le manifestons souvent.

Nous convenons toutes les deux que ce genre de voyage nous manque. Ça faisait trop longtemps que nous n'en avions pas fait. En fait, depuis l'été 1980 alors que nous avons fait le tour de l'Europe avec notre sac à dos, visitant onze pays avec notre laissez-passer d'Eurorail. Notre voyage fut une errance heureuse qui nous a entraînées dans des chemins sinueux. Nous prenions le train pour une destination donnée, mais si une gare nous semblait intéressante ou un compagnon ou une compagne de voyage nous recommandait une ville, un musée ou même un restaurant, nous faisions un petit détour.

C'est comme ça que nous avons vécu le moment le plus merveilleux de notre voyage. Un arrêt inopiné au petit village de St-Wolfgang, au bord d'un lac alpin, coïncida avec le 500e anniversaire du festival du patrimoine. Nous avons passé la soirée avec des villageois en culottes courtes et jupes paysannes, dansant au son de l'orchestre populaire bavarois qui jouait sur la place du village. En Grèce, nous avons fait une promenade spontanée en cyclomoteur autour de l'île de Corfou. Une baignade en fin de matinée dans la mer Ionienne a été suivie d'un déjeuner de tomates farcies, de salade grecque et de vin à une table inondée de soleil, donnant sur le minuscule port circulaire de Kouloura. Nous nous sommes prélassées dans notre fauteuil, les yeux à demi-fermés, alors que le sel de la mer se transformait en poudre blanche sur notre peau bronzée par le soleil. Il y a eu aussi cette nuit splendide où nous avons décidé de prendre l'Orient Express en partance de Paris et avons passé la soirée à siroter du café fort dans un club de jazz enfumé du Quartier latin jusqu'à l'heure du départ prévue pour minuit et une minute.

Le lendemain, nous entamons la journée de la même façon que toutes nos journées à Montréal : avec notre premier café latte dans la chambre. L'une d'entre nous rentre sa chemise de nuit dans un jeans, met des sandales et se précipite, sans soutien-gorge et sans s'être peignée, au café voisin ou à la voiturette du vendeur de cappuccino pour revenir avec notre trésor, notre habitude, notre alimentation, notre luxe. Nous sirotons le café en nous habillant, humant l'arôme puissant du café qui vient d'être torréfié.

Une fois habillées et prêtes, nous cherchons un café confortable où prendre notre vrai petit déjeuner. Nous commandons encore des latte et des croissants aux amandes chauds. C'est avec la deuxième tasse et le deuxième croissant que nous étalons nos livres et nos plans pour préparer la journée.

Trois tasses de café ! Le mari d'Ingrid serait furieux. Tout comme le vin, les médicaments qu'elle prend la rendent plus sensibles à l'effet de la caféine. Il n'aime pas qu'elle en boive trop car ça la stimule trop et elle devient un véritable moulin à paroles. Ça ne me dérange pas ; ce week-end, nous voulons rire et bavarder.

Nous commençons ensuite notre exploration sinueuse des rues étroites pavées du Vieux-Montréal, admirant les édifices à la couverture en tuiles très ornée et aux moulures en fer forgé. Des marches de pierre usées mènent à des magasins dont l'intérieur est généralement en briques apparentes, au plafond en fer blanc ou à poutres de bois apparentes. Nous visitons les magasins, admirant souvent mais achetant rarement. Comme d'habitude, nous devons surveiller nos dépenses.

Lors de notre été en Europe, nous comptions soigneusement nos marks allemands et nos drachmes, marchant un pâté de maisons ou deux de plus juste pour obtenir un taux de change légèrement supérieur. Nous avons survécu en achetant des baguettes à la boulangerie et du fromage bleu à la fromagerie ou encore des pitas au feta accompagnés d'un vin rouge artisanal déposé dans un plateau profond rempli d'eau fraîche au coin d'une table à l'extérieur de la maison d'un fermier local. Lorsqu'on retournait la bouteille vide, on nous redonnait 50 drachmes et la bouteille était remplie à nouveau et revendue.

Nous n'avons toujours pas beaucoup d'argent et nous recherchons les banques qui donnent le meilleur taux de change. Ingrid économise son argent pour le jour où ils recevront l'appel tant attendu au sujet de l'enfant à adopter qu'ils aiment déjà. Je n'oublie pas les piles de factures de cartes de crédit qui se sont accumulées par la force des choses lorsque je me suis retrouvée sans travail pour la deuxième fois en autant d'années. Par décision commune, j'ai quitté mon emploi et repris mes études à temps plein, décrochant mon diplôme douze ans après l'avoir entrepris. Mais c'est une décision que nous avons payée cher.

Nous entrons dans une boutique dégageant une odeur de pot-pourri de pétales de roses. Les étagères sont garnies de papier d'écriture fait à la main, de cahiers décorés, de cartes, de papier d'emballage à la feuille, de savons fabriqués main et attachés avec du raphia, de flacons d'huiles de bain et de paniers en osier débordants d'éponges naturelles. Ces objets remuent notre fibre la plus intime. Je vais d'une étagère à l'autre comme dans un rêve, caressant les textures des papiers, imaginant ce que je pourrais inscrire dans les pages de mon journal intime, les pensées que je pourrais envoyer aux amies sur ces belles cartes de souhaits.

Ingrid est fascinée par les savons parfumés. Elle habite une petite maison délabrée de deux étages en bordure d'un lac. Les planchers sont inégaux, les armoires sont grossières et les fenêtres grincent lorsqu'il y a une tempête. Son seul luxe est la salle de bain récemment rénovée, dotée d'une baignoire à remous profonde. Elle possède une fenêtre en voûte faite sur mesure qui donne sur le lac.

Nous choisissons chacune un article bon marché. Je choisis une carte représentant une scène de café à l'aquarelle que j'enverrai à Ingrid à une date ultérieure, peut-être à un moment où elle sera de nouveau triste, pour lui rappeler notre beau voyage à Montréal. Ingrid choisit un flacon élégant d'huile de bain infusée d'herbes et de fleurs et fermé par un bouchon de liège trempé dans de la cire et noué avec un ruban. Elle le mettra à côté de sa nouvelle baignoire et ses couleurs seront assorties aux fleurs de la bordure en céramique peinte à la main.

Pour notre dernière nuit à Montréal, nous choisissons un autre restaurant grec, aux spécialités de fruits de mer cette fois-ci. Nous ne nous refusons rien. Nous commandons des hors-d'œuvre, suivis cette fois-ci d'un homard accompagné de salade grecque et de pommes de terre assaisonnées croustillantes. Ingrid fait encore une fois fi des recommandations médicales et décide que nous prendrons et du vin et du café ce soir !

Le garçon est amusé par la quantité et la variété de notre commande. Il rit et retourne souvent pour plaisanter avec nous. « Vous savez, nous dit-il, rares sont les femmes qui commandent ou mangent avec autant de passion. C'est bien. Vous appréciez un bon repas. ».

Lorsqu'il retourne pour nous offrir un dessert, il commence par énumérer les choix. « La baklava et », dit-il « un pouding au lait sous une croûte…».

« Oui ! » lui crions-nous en chœur. « *Galacatoboure-ko !* »

« Bien sûr ! dit-il, vous le savez. Je vous en apporte deux. »

La maison nous offre le dessert. Nous plongeons notre cuillère dans le délicat pouding au lait saupoudré d'écorce d'orange et arrosé de sirop à l'orange et à la muscade. Nous le faisons suivre de café fort qui nous fera bavarder et rire jusqu'aux petites heures du matin. Après tout, c'est pour cela que nous sommes là.

Au fil des ans, le sort nous a réservé à Ingrid et à moi des surprises désagréables, des malheurs et des tragédies qui menacent d'ébranler notre confiance en nous, nos ressources, notre foi et notre force. Mais ma compagne de voyage et moi sommes nées avec un formidable appétit et nous mordons dans la vie à pleines dents.

— *Karen Deyle*

# Comment mon père et moi avons refait connaissance

Il y a encore quelques années, la tension entre nous n'était que trop évidente. Au salon funéraire, nous étions assis à des côtés opposés de la salle, échangeant de temps à autre des banalités, sans savoir comment rechercher autre chose. La situation n'était pas plus simple le lendemain durant l'enterrement de mon grand-père, son père. Au dîner qui eut lieu après à l'église, je me demandai si cet homme que j'appelais papa s'était assis avec nous par gentillesse et compassion ou simplement par obligation. Je décidai que ça n'avait pas d'importance. Il allait retourner en Pennsylvanie avec sa femme et leur fils et nous partirions chacun de notre côté jusqu'à ce que le prochain décès ou le prochain mariage nous ramène en présence.

Cette façon de faire disgracieuse avait commencé au divorce de mes parents quand j'étais toute petite. J'avais décidé qu'il était préférable de me faire violence et d'aller à l'encontre de mon désir naturel d'avoir des rapports avec mon père. Je pensais, à l'époque du moins, que ce serait plus facile pour tout le monde. Arrivée à l'âge adulte, la distance entre nous était devenue un mode de vie, je n'attendais rien de lui et en espérais encore moins.

Comme je l'avais prédit, après l'enterrement de mon grand-père, nous nous quittâmes avec civilité, après des accolades cordiales, loin des étreintes chaleureuses qu'au fond de mon cœur je souhaitais. Notre courte rencontre servit de rappel au vide que son absence avait laissé dans ma vie — un vide que je remplis délibérément avec les préparatifs des fêtes, une distraction bienvenue pour le cœur blessé de la petite fille qui vivait encore en moi.

J'avais cessé de penser à la rencontre au salon funéraire jusqu'à ce que quelques semaines plus tard, je reçoive un courriel de mon père. Dans le bulletin annuel des fêtes que j'envoyais avec notre carte de Noël aux parents et amis, j'avais indiqué notre nouvelle adresse électronique. Je ne savais pas que mon père avait un ordinateur et je n'aurais jamais pensé qu'il m'enverrait un message.

Je fixai la courte mais amicale lettre pendant ce qui me sembla des heures, essayant de décider quoi faire. Ma réponse pourrait exaucer un rêve que je caressais depuis longtemps ou donner lieu à une cuisante déception et je n'étais pas certaine d'être prête à accepter l'une ou l'autre. Je décidai finalement d'être polie et de répondre à son courriel. Ma réponse fut brève mais enjouée et j'appuyai rapidement sur le bouton « Envoyer » avant d'avoir le temps de changer d'idée.

Ce qui commença par une courte note de mon père et une réponse courtoise de ma part se transforma en un échange quotidien de courriels. Nous nous mîmes ensuite à nous écrire plusieurs fois par jour avant d'en arriver au point où nous ne pouvions plus aller nous coucher sans nous envoyer un dernier message. Nous parlions de ce que nous avions mangé pour dîner, de ce que nous allions faire le lendemain, de ce que les petits-enfants faisaient. Rien ne nous semblait trop oiseux ni trop terre à terre. Pour la première fois de notre vie, nous faisions connaissance et nous nous laissions absorber par notre conversation comme une éponge assoiffée.

Lorsque l'intérêt que nous nous portions, notre familiarité de la vie de l'autre et l'aise que nous ressentions augmentèrent, nous abordâmes les questions plus délicates qui nous avaient séparés toutes ces années. La conversation était parfois difficile et il nous arrivait d'avoir peur de dire un mot de travers et donc de tenir notre langue. Nous parlâmes aussi de la colère et des excuses, des espoirs longtemps entretenus et des peurs, ce qui amorça le processus de guérison interne et celui de notre relation. Il était évident que nous souhaitions tous les deux continuer à correspondre et c'est ce qui explique que nous ayons continué de le faire lorsque les mots devinrent durs à entendre et à exprimer.

J'incitai mon père à entrer en contact avec mon frère et mes sœurs et en retour, je les incitai à répondre à papa. Pour la première fois en plus de trente ans, je sentis que nous avions la possibilité de reformer une famille, si nous y mettions chacun du nôtre.

Au bout de quelques mois, mon père et moi réussîmes à établir un rapport et à tisser des liens. Papa, sa
femme, Peg, ainsi que mon demi-frère, David, projetè-
rent de venir nous rendre visite à l'automne en Indiana
et de notre côté, nous prévîmes une grosse réunion de
famille. Mais, sur un coup du sort, au cours de leur
visite, je commençai à avoir des contractions, qui n'é-
taient qu'un faux travail, et je passai quinze heures à
l'hôpital avant d'être renvoyée chez moi. Je ne pus
donc pas assister à la majeure partie de la réunion,
mais lorsque j'arrivai finalement, l'atmosphère qui y
régnait semblait chaleureuse et détendue. Tout le
monde était joyeux. Nous n'étions plus des inconnus.
Nous étions devenus des amis. Nous dire au revoir fut
plus difficile et nous attendions avec impatience la
prochaine occasion de nous réunir.

Les courriels continuèrent, sauf qu'il s'y ajouta des
appels téléphoniques. J'appris à connaître et à aimer
ma belle-mère et mon autre frère. À la naissance de
notre fils Grant, nous étions fiers de lui donner comme
second prénom William, en l'honneur de mon père.
Lorsque ma sœur appela mon père pour le lui dire, il
aurait pleuré, paraît-il.

L'été dernier, papa revint à la maison, cette fois-ci
pour être au chevet de sa mère mourante, ma grand-
mère. Une fois de plus, nous étions réunis au salon
funéraire, sauf que cette fois-ci, mes frères et sœurs et
moi étions assis du côté de papa. Il nous fit défiler
devant chaque parent éloigné, très fier d'être celui qui
avait le plus d'enfants, de petits-enfants et même d'arrière-petits-enfants dans la salle !

Lorsque le moment inévitable de dire un dernier au revoir à grand-maman vint, j'observai chacun des cousins qui allait se recueillir devant le cercueil avec ses parents. L'attribution des sièges avait été mal faite et nous nous retrouvâmes plusieurs rangées derrière papa. Je me sentis triste et déçue de ne pas pouvoir y aller avec lui quand notre tour viendrait. Alors que nous avancions dans la queue et que nous étions arrêtés là où papa était assis, je tendis la main à papa : « Viens-tu avec nous ? » lui demandai-je en essayant de refouler mes larmes.

Il me regarda d'un air perplexe et me demanda d'une voix hésitante : « As-tu besoin de moi ? »

J'en restai interloquée un instant. Au cours de toutes ces années et à travers tout ce que nous avions surmonté, il ne m'était jamais venu à l'idée que mon père se demandait si ses enfants avaient besoin de lui. J'avais toujours supposé qu'il le savait.

« Oui », répondis-je avec fermeté. « Oui, j'ai besoin de toi. »

Mon père se leva et il passa son bras autour de mes épaules. Alors que nous étions debout devant le cercueil à murmurer un au revoir à grand-maman, j'enfouis mon visage contre sa poitrine et je me mis à pleurer toutes les larmes de mon corps. Dans l'étreinte chaleureuse de mon père, je versai des larmes pour la mort de ma grand-mère et la petite fille à l'intérieur de moi versa aussi des larmes parce qu'elle comprenait enfin ce que ça voulait dire être la petite fille à son papa.

C'était la pièce de mon cœur qui avait toujours manqué. Nous n'étions plus des inconnus, nous étions plus que des amis, nous étions finalement une famille.

— *Amanda Krug*

 # La table

J e mets le couvert pour deux et une fois de plus, la taille de ce géant en chêne m'impressionne. Si mon mari s'asseyait en face de moi, nous ne pourrions pas nous passer les plats tellement la table est large, ce qui fait que je place ma chaise juste à côté de la sienne. Les six autres chaises restent péniblement inoccupées, en attente des visiteurs et des réunions de famille occasionnelles, rares dans notre groupe dispersé. Le livre sur le feng shui qu'un ami m'a donné affirme que manger à une aussi grande table transgresse tous les principes d'un repas positif. Chaque fois que je nettoie autour et au-dessous de la table, je me cogne les hanches. Si on se débarrassait de ce vieux truc encombrant et qu'on le remplaçait par une table à rallonge, nous aurions assez d'espace pour mettre une causeuse ou une berceuse confortable et un rayonnage. Et pourtant, je ne le propose pas.

Il y a trente-cinq ans, la naissance de notre premier enfant m'a donné l'envie d'avoir de plus beaux meubles que ceux achetés au magasin d'escompte et à l'Armée du Salut, qui avaient décoré nos premiers appartements. Lorsque nous avons assisté à notre premier encan dans une petite ville de la Caroline du Sud, nous avons réussi à avoir les restants d'un ensemble de salle à manger du début du siècle : bahut en chêne foncé, vaisselier, buffet bas et cinq chaises fragiles, pour moins de 100 $. Nous avons progressivement décapé et restauré tous les morceaux.

Quand, à la naissance de notre troisième enfant, nous avons déménagé dans une maison ayant une vraie salle à manger, nous nous sommes aperçus qu'il nous manquait une table. Lorsque nous avons appris par une annonce qu'il y aurait un encan en plein air dans une ville à côté, nous avons entassé les enfants dans la voiture, en espérant trouver une table en vieux chêne, semblable en style aux autres pièces de notre salle à manger. Nous sommes arrivés en retard et les tables étaient toutes parties. Mais le vendeur à l'encan a demandé des enchères pour la table sur laquelle il se tenait. Nous avons fait une enchère un peu plus élevée que ce que nous avions payé pour tous les autres morceaux de la salle à manger, sans voir clairement la table d'où nous étions et avons gagné. Lorsque la foule est allée voir l'équipement agricole, nous sommes allés examiner notre table. Elle était robuste et solide et beaucoup plus grande que ce que nous voulions, avec un énorme socle de trois pieds de diamètre. Alors que mon mari se demandait comment la ramener à la maison, le vendeur à l'encan et son assistant sont arrivés avec cinq rallonges de plus.

Quelques heures plus tard, nous retournions, triomphants, à Kansas City. Les garçons étaient assis sur la banquette arrière de la voiture, sur une table rembourrée et temporairement fendue en deux, ses rallonges et son socle faisant s'affaisser le coffre de notre Ford Fairlane.

Pour les vingt années suivantes, la table, une fois remontée, est devenue notre table de salle à manger, et ce en dépit de plusieurs déménagements. Et elle est devenue la vedette de nos films familiaux et de nos photos : les chaises hautes appuyées contre elle ; les garçons en équilibre dans leurs rehausseurs de siège et se tenant debout dans leur chaise, fendant l'air avec leur fourchette de fondue, tandis que le caquelon bouillonnait au milieu de la table ; garnie de plateaux de dinde décorés de persil, de rosbif de côtes et de gâteaux d'anniversaire maison en forme de clown, de Snoopy, de train et de tigre ; dressée parfois avec du cristal, de l'argenterie et de la fine porcelaine et d'autres fois avec des assiettes en carton ornées de personnages de bande dessinée.

Autour de cette vieille table en chêne, nous nous sommes rassemblés à cinq, sept, neuf et parfois même dix-huit ou vingt. Mes grands-parents, parents, tantes, oncles et cousins nous y ont rejoints. Le père Noël s'y est assis une fois pour prendre une tasse de chocolat chaud accompagnée de biscuits. Lorsque nous devions recevoir le club des gourmets, nous traînions la table jusqu'au salon et lui ajoutions toutes ses rallonges. J'empesais deux draps de très grande taille et les repassais et nous étions les seuls parmi nos amis à pouvoir asseoir tout le monde à la même table.

Il y a douze ans, un autre déménagement nous a amenés à acheter un autre ensemble antique de salle à manger. Nous avons mis la table en vieux chêne, son dessus maintenant si usé et égratigné qu'il faut toujours le couvrir d'une nappe, dans notre coin-repas et avons placé les autres pièces dans notre salle de séjour. Lorsque nos fils ont emménagé dans leur propre maison, je leur ai offert l'ensemble, mais ils ont tous préféré quelque chose de plus moderne. Et, honnêtement, la table, même à ses plus beaux jours, n'a probablement jamais eu grande valeur. Et pourtant, lorsqu'une amie l'a demandée pour l'appartement de sa fille, à ma grande surprise, je lui ai tout de suite dit non.

Nous venons d'être grands-parents. Je me prends à penser que cette belle grande table sera parfaite pour les projets d'artisanat et les pistolets à colle ainsi que les jeux de construction. Peut-être qu'un jour nous aurons même besoin des rallonges à nouveau.

Cette vieille table en chêne fait partie de la famille.

— *SuzAnne C. Cole*

 La descente des rapides

Les pieds repliés sous le pli du radeau pneuma-tique, je m'arc-boute tandis que mon corps penche par-dessus bord, en équilibre précaire. Les muscles tendus, le pouls emballé, nous pagayons de plus en plus vite. Chaque tournant de la rivière risque de nous retourner dans les eaux tumultueuses. Chaque ondulation jaillissante de l'eau cache un éboulis aux bords irréguliers qui risque de nous écraser. Chaque rapide écumeux cache un autre danger pour notre tête et nos membres.

À travers le grondement des vagues, je compte mes enfants dans les deux radeaux. Sept : deux que j'ai portés et cinq que j'ai volés. Du moins, je n'ai pas demandé la permission de leur mère avant de les inclure dans mon monde émotionnel. Et nous sommes maintenant ensemble, essayant de descendre la rivière traîtresse.

Nous ne sommes pas des réfugiés cherchant un rivage sûr. Riant à travers les embruns qui nous aspergent, nous naviguons à l'unisson, entonnons des chansons et manions la pagaie en rythme.

Il y a vingt ans, Melissa et Jonathan ont été mon premier raid pour le rassemblement d'enfants lorsque j'ai épousé leur père. Jon, bon caractère et extraverti, avait neuf ans et était indifférent à tout ce qui n'était pas la satisfaction de ses besoins immédiats, mangeant chaque fois qu'il avait faim. Maintenant, assis derrière moi, maniant vigoureusement son aviron contre les courants puissants de la rivière, il crie : « Fort ! Fort ! C'est ça ! »

En essayant de gagner insidieusement son affection, j'avais l'habitude de faire la course avec lui en ski alpin jusqu'à ce qu'il soit trop grand et trop rapide et me dépasse dans un tourbillon de neige. Maintenant, je risque mes membres et ma vie dans les eaux tumultueuses.

Melissa avait onze ans et l'adorable gazouillis d'un oiseau en liberté, certaine que la forêt lui appartenait. J'entends ses encouragements alors que nous approchons d'un autre rapide. Ensuite, le fracas des vagues me remplit la tête. Le jaillissement d'écume blanche se tordant derrière un rocher de la taille de ma cuisine signale que le contre-courant tourbillonnant — le trou, comme l'appelle notre guide — pourrait nous entraîner vers le fond, où des rochers aigus nous déchireraient. Pendant des années difficiles, qui ont menacé l'existence de notre famille, Missy et moi nous sommes disputées continuellement. À la fin, nous en sommes tous sortis de meilleures personnes.

L'an dernier, Jonathan s'est marié. Sa femme me ressemble davantage qu'elle ne ressemble à sa mère. Si je devais avoir une autre fille biologique, je choisirais Cheryl, femme de carrière, sûre d'elle-même.

Notre radeau dépasse finalement le rapide et je relâche ma prise du cordage, nullement rassurée, et je plante mon aviron dans les eaux impérieuses. Dans le radeau en avant de nous, ma fille aînée, Tomm à la voix douce, chante avec mon mari. En face de moi, dans mon radeau, Eden, ma cadette, amante du grand air et de la nature, me jette le même coup d'œil inquiet que je lui jetais lorsqu'elle était sur le portique d'escalade. C'est son tour de s'affirmer comme adulte au sein de la fratrie plus âgée — et des trois conjoints.

Nous sommes ballottés par une série de rapides mineurs. Les vagues me frappent au visage. Sous son casque rouge, David, le mari de Melissa, rit dans le vent en nous guidant. Des deux côtés s'élèvent des murs de granite abrupts. Le passage suivant est étroit. Nous pagayons rapidement vers un énorme surplomb à quelques pieds au-dessus de l'eau.

Après de nombreuses années au sein de la famille, David est encore réticent à faire partie de la constellation de notre mini-univers. Ce n'est pas le cas aujourd'hui.

« Baissez-vous ! » nous crie-t-il pour se faire entendre malgré le bruit assourdissant de la rivière. Si nous ne nous baissons pas, le rocher nous décapitera.

La saillie est loin derrière nous. Mes yeux cherchent la plage de la taille d'un mouchoir où nous sommes supposés nous arrêter pour la nuit. Je la vois enfin et je pousse un soupir de soulagement. Un huard à gorge rousse plonge dans un bassin tranquille et en émerge, tenant dans son bec un trophée argent qui frétille.

Barry, le mari de Tomm, nous sourit. Il a été facile de le capturer. L'amour fort qu'il portait à sa propre mère l'a conditionné à devenir mon fils. Sans rien laisser paraître, alors que nous échouons le radeau pour camper pour la nuit, il me déleste d'une partie du poids du radeau.

Épuisée, les nerfs à vif à cause de la fatigue, frissonnante et trempée, je me sens aussi peu dans mon élément qu'un chameau mouillé et je sens tout aussi mauvais. Je me laisse tomber sur le sable dans l'espoir de me fondre dans sa douceur. Mais il est froid et moite.

Dans la tente montée par l'organisateur de descente des rapides, j'enlève ma combinaison humide en caoutchouc et le chandail et les chaussettes de laine que je porte en dessous. Ils sont trempés. La combinaison me garde au chaud en emprisonnant l'eau contre mon corps, mais je ressemble maintenant à un pruneau géant blanchi.

Alors que je m'éponge, un troupeau d'oies criaillent au-dessus de nos têtes, en route vers le sud. Nue et frissonnante, je m'avance parmi les vieux chênes pour m'accroupir sur un lit de feuilles et essayer d'uriner sans asperger mes chevilles. J'ai mal partout, comme si la douleur cherchait l'endroit propice pour s'y installer.

J'enfile un pantalon en molleton et une chemise secs. La flanelle n'a jamais été si douce contre ma peau. Elle caresse ma peau, mais le froid ne quittera pas mes os jusqu'à ce que je sois bien emmitouflée dans une veste en duvet. Je rêve d'un bain moussant qui décongèlerait mes membres. Je ne supporte pas d'être ici. Je ne supporte pas d'avoir froid, d'être trempée et fatiguée, de ne pas pouvoir me réfugier dans un endroit chaud. Je ne supporte pas d'être trop vieille pour cette journée exténuante.

Mais lorsque les autres secs et enjoués se réunissent autour de la table de fabrication grossière dans la cuisine de campagne, j'accepte une tasse de chocolat chaud et son bon goût sucré se déverse en moi.

Les derniers rayons du soleil caressent les arbres et se reflètent dans l'eau. Mon mari propose que nous marchions jusqu'à la berge pour nous « embrasser au coucher du soleil ». Au lieu d'être séduite par cette image romantique, je préférerais prendre une autre photo mentale de mes sept enfants, tous adultes, en train de dévorer leur steak et leurs pommes de terre avec l'appétit des jeunes.

Le soir tombe. Autour du feu de camp, les flammes montent vers le ciel, les explosions de lumière dansent sur notre visage, la fumée du bois qui brûle se mêle à l'arôme du pin. Assis sur des bûches, nous formons une étoile à neuf pointes, aux lignes multiples nous reliant tous. Certaines connexions sont en rouge brûlant, d'autres en jaune plus froid. Jonathan ajoute des bûches et sourit à Tomm. Les deux sont devenus tout de suite amis. Depuis des années, ils tiennent le pointage de leurs parties de Scrabble. Cheryl est assise à mes pieds, exaltée par cette nouvelle expérience, réchauffée par le repas, le feu et mon affection. Melissa entoure de son bras les épaules de Tomm, la fille qui lui a « volé » son père, mais qui, depuis, est devenue sa sœur. Eden est blottie entre ses deux beaux-frères : David et Barry. Mon mari est tellement excité par la journée et la soirée qu'il est incapable de rester assis et fait le tour pour féliciter bruyamment chacun.

Nous avons survécu à la journée dans la rivière fougueuse. Nous avons survécu à vingt années de navigation des eaux tumultueuses d'une famille reconstituée.

David enfonce une longue brindille dans une guimauve et la fait rôtir sur le feu. Je m'étais jurée de n'en manger qu'une, mais alors que les bords se ratatinent et se retroussent, dégageant une délicieuse odeur de caramel, mes papilles m'annoncent qu'elles en voudront plusieurs.

Chacun de nous a préparé un sketch, une chanson ou un jeu. Pendant que nous rions et jouons, je ne pense plus à mon sac de couchage posé sur le plancher de contreplaqué de la tente. Je refuse de penser à la combinaison humide froide et saturée d'eau dans laquelle je devrai me glisser à l'aube. Ce sont mes enfants, ces sept hommes et femmes, beaux, en santé et heureux, cinq que le destin a mis sur ma route mais qui font tout autant partie de moi que ceux à qui j'ai donné naissance et qui définissent la personne que je suis.

— *Talia Carner*

La vaisselle-thérapie

J'allume dans la cuisine et immédiatement je le regrette. La cuisine ressemble à une zone sinistrée, avec des assiettes sales partout. Mon mari pose la main sur mon épaule et me murmure : « C'est pire que ça en a l'air. » Je soupire et commence à remplir l'évier. Tout de suite, la vapeur monte en spirales et le savon forme des bulles au bout de mes doigts. La lassitude commence à s'estomper alors que je m'absorbe dans le trempage, lavage, rinçage et séchage des plats.

J'ai toujours éprouvé cette sensation.

Ma belle-mère énumère souvent les nombreuses raisons qui incitent à l'achat d'un lave-vaisselle. Elle soutient que dans le lavage à la main, on utilise en fait plus d'eau que son modèle écoénergétique aux lignes pures. Elle a peut-être raison, mais je continue de préférer la façon traditionnelle, la façon dont ma mère le faisait et sa mère avant elle : un évier rempli d'eau chaude savonneuse, une lavette en coton et mes deux mains.

Certains de mes meilleurs souvenirs d'enfance tournent autour du nettoyage après les repas familiaux. Quand nous étions enfants, mes frères et moi essayions de nous esquiver en douce avant d'être affectés au lavage de la vaisselle. Une fois debout sur un tabouret en face de l'évier, nous cessions de nous chicaner pour entonner des chansons stupides et écouter des histoires que nous n'aurions pas entendues autrement. Grand-maman me donnait des petits morceaux de dessert en passant et maman faisait semblant de ne pas voir. Lorsque je suis devenue en âge d'inviter des garçons à manger à la maison, le lavage de la vaisselle est devenu le test révélateur. Si, lorsque ma mère repoussait sa chaise à la fin du repas, le jeune homme se levait et offrait d'aider, il passait le test. S'il s'attardait à table et avait besoin que je le pousse du coude pour aider, je ne l'invitais plus.

Avant que mes enfants n'arrivent et ne me prennent toute mon énergie, j'aimais faire la vaisselle après un dîner tranquille avec mon mari. Parfois il m'aidait, d'autres fois, non. Mais le fait de faire quelque chose d'ennuyeux à mourir mais essentiel était thérapeutique. Absorbés par le rituel de cette tâche, je goûtais notre rapprochement, réfléchissais à nos désaccords et rêvais à notre avenir.

Maintenant que j'ai des enfants, la vaisselle reste la tâche que je préfère entre toutes. Je suis capable d'éviter systématiquement les pièces qui ont un besoin criant d'un coup d'aspirateur, mais je serai toujours la première à proposer de faire la vaisselle, même maintenant qu'il y a tant d'assiettes à laver avec une famille de six. Je sais que dès que je commencerai la vaisselle, je bénéficierai de ses vertus thérapeutiques.

Après être rentrés de l'école et du travail et avoir mangé le plat réconfortant préparé dans ma bonne vieille mijoteuse, mes enfants m'aident à ranger la cuisine. Ils plongent leurs petites mains dans l'eau savonneuse et me racontent des choses dans nos conversations côte à côte qu'ils ne m'auraient pas dites si je les leur avais demandées. Ils dialoguent, chacun se sentant un maillon utile et essentiel de notre foyer. Dans un monde complexe, rempli de défis continuels n'ayant ni début ni fin, la vaisselle nous rappelle que les tâches ne sont pas toutes compliquées. Certaines sont simples et faciles à faire : assiette par assiette, verre par verre, casserole par casserole. L'ordre suit le chaos. Si seulement le reste de notre vie pouvait être aussi simple !

Certaines personnes sont étonnées qu'avec quatre enfants, je n'aie pas de lave-vaisselle. Elles ne savent pas que mes enfants participaient à la vaisselle alors que leur nez n'atteignait même pas le comptoir, que je les félicitais de leurs efforts pour aider maman, même si au début cela signifiait pour moi un surcroît de travail. Lorsque mes enfants étaient tous petits, faire des éclaboussures dans un évier rempli d'eau savonneuse n'était pas pour eux une corvée domestique parce que je les avais convertis à mon plaisir secret avant qu'ils ne se rendent compte que c'était en fait un travail. Lorsqu'un de mes enfants a commencé à bégayer, nous lavions la vaisselle en bavardant. Il a ralenti son débit et a commencé à parler sans bégayer ;

son orthophoniste n'en revenait pas. Il a onze ans aujourd'hui et continue d'aimer faire la vaisselle.

Lorsque je suis seule à récurer les casseroles, c'est comme si je me débarrassais en même temps des débris qui obscurcissent ma pensée. Des solutions aux problèmes s'imposent à moi alors que j'avais essayé toute la journée d'en échafauder ; on dirait qu'elles ne me deviennent évidentes que lorsque je réussis à me détendre. La tension dans mes épaules se relâche ; je vois les choses sous un angle différent. Je ne veux pas survaloriser le lavage de la vaisselle. Ce n'est pas comme prendre un long bain moussant, la porte fermée et des chandelles parfumées allumées. Ce n'est pas aussi purificateur qu'une marche rapide dans les bois. Mais c'est un bon second lorsqu'on a un emploi du temps très chargé, avec plein d'activités et bon nombre de frustrations.

Nombreuses sont les invitations chez nous où, à la fin de la soirée, nos invités ont retroussé joyeusement leurs manches et participé à la vaisselle. En lavant la vaisselle ensemble, nous partageons nos ennuis et nos joies, parlant de choses intimes que nous n'aurions pas pu aborder à table ou dans une salle pleine d'invités. Nous nous sommes émerveillés devant le miracle de la vie alors que des mains pleines de savon se tendaient pour toucher le ventre où bougeait un bébé. Il nous est aussi arrivé de placer le torchon sur l'épaule pour prendre l'autre dans les bras et rire ou pleurer.

Le lavage de la vaisselle apporte de la joie, incite au bavardage et nous rapproche. Pendant que la vaisselle se fait, la cuisine qui ressemblait à un champ de bataille après la préparation du repas retrouve son air rangé d'antan.

Je n'ai jamais vu un lave-vaisselle faire ça.

— *Julia Rosien*

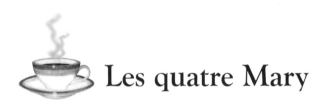 # Les quatre Mary

Sur la vieille photo en noir et blanc, aux bords effrités, ma mère n'a pas encore trente ans et je suis l'enfant baignée de soleil, aux cheveux à effet de halo, installée à califourchon sur ses hanches. Maman adore prendre la photo dans son mince cadre doré posée sur le dessus de la cheminée pour la montrer à ses enfants et à ses petits-enfants. Nous l'appelons « Les quatre Mary » parce que c'est une photo de quatre générations de femmes de ma lignée, toutes premières nées et toutes surnommées Mary : mon arrière-grand-mère, ma grand-mère, ma mère et moi. En fait, j'ai reçu les prénoms de Mary Margaret en hommage à mes deux grands-mères et comme toutes les autres Mary du côté maternel. Toutefois, pour éviter la confusion inévitable, on m'a toujours appelée Peggy.

Sur l'instantané, j'ai juste deux ans et je fronce les sourcils d'un air appliqué. Je regarde fixement le creux de ma main comme si un magicien y était caché, me regardant, et de l'autre main, je pointe vers ma paume. Maman se souvient que juste avant que cette photo soit prise, mon arrière-grand-mère m'avait emmenée au jardin et m'avait laissée choisir la fleur que je voulais. Maman dit que c'était une ancolie et qu'elle me fascinait tellement que j'ai refusé de lever le visage vers l'appareil photo. Les ancolies me fascinent encore aujourd'hui, à cause de leur ressemblance aux feux d'artifice de couleur pastel.

C'était la Seconde Guerre mondiale et mon père était parti pour le front en bateau. En prêtant attention à la photo, il était possible de deviner que la guerre avait eu une incidence sur la mode féminine. La jupe sombre de mon arrière-grand-mère est ample et tombe presque aux chevilles. En revanche, celle de ma grand-mère et de ma mère est serrée et couvre à peine leurs genoux. Le manque de tissu a imposé à la plus jeune génération des jupes plus courtes.

Mon arrière-grand-mère porte une blouse foncée à col haut et à longues manches bouffantes et un châle à franges à motif floral doux. Ma mère et ma grand-mère portent une blouse très déshabillée. La blouse très échancrée de ma grand-mère moule son ample poitrine et le col et le bord des manches sont garnis de trois volants qu'elle a faits elle-même. Ma mère porte une blouse de tissu léger et transparent avec de la broderie blanche sur le corsage et sur le bord des manches courtes festonnées.

Les cheveux de mon arrière-grand-mère, qui n'ont jamais été coupés et qu'elle porte relevés en chignon sur la nuque, sont presque noirs tellement ils sont foncés et, pour la première fois, il me vient à l'esprit qu'elle les teignait probablement. Les cheveux de ma grand-mère sont courts et crêpés par une de ces ondulations permanentes. En tenant la photo, ma mère me rappelle que ce n'est qu'il y a quelques années que sa mère s'est coupé les cheveux pour la première fois. Quand elle est rentrée chez elle avec la nouvelle coiffure courte à la mode et sa tresse de quatre pieds dans un sac de papier, son mari s'est tellement fâché qu'il a refusé de lui adresser la parole pendant plusieurs semaines.

Ma mère ressemble à la fille dans les vieilles annonces du shampooing Breck, avec des cheveux à ondulation naturelle encadrant son visage au teint éblouissant des années 40, des lèvres peintes et des perles à tige aux oreilles. Toutes les filles des annonces Breck ressemblaient à des anges du peintre Raphaël, mais sans l'excédent pondéral. Dans la photo, le visage de ma mère est effectivement amaigri.

L'inquiétude causée par l'absence de mon père ainsi que le rationnement en temps de guerre expliquent ses hanches saillantes sous la jupe.

Derrière nous quatre sur la photo, on voit un poirier et un jardin de fleurs. Au loin, on aperçoit la ferme où ma grand-mère et ses cinq sœurs ont été élevées et où ma mère a passé chaque été de sa jeunesse. Le jardin de fleurs, entre le chemin de terre et la maison, était le domaine privé de mon arrière-grand-mère. Plusieurs fois par semaine, elle mettait son chapeau à larges bords et, munie d'un sécateur et d'un grand panier plat, elle faisait le tour de son petit coin de paradis. Elle prenait son temps, profitant de la fraîcheur matinale, et était ravie de pouvoir couper assez de fleurs pour refaire les nombreux bouquets qui décoraient sa maison victorienne de trois étages, de construction anarchique.

Ma propre cour avant, un petit terrain urbain, est également remplie de fleurs. Il y a longtemps, mon mari et moi avons remplacé notre pelouse qui faisait pitié à voir par des plantes à fleurs, du trottoir au perron. Au printemps et en été, la clôture basse de l'allée avant disparaît sous une clématite luxuriante, et les fuchsias et les ancolies disputent leur place au soleil aux cosmos et aux primevères. Un grenadier et un prunier poussent du côté opposé au trottoir.

Il y a quelque temps, mes parents sont venus nous voir et ma fille (qui s'appelle Jill et non Mary) est aussi venue avec l'une de ses filles dans son sillage.

« Oh, Mary, prenons une photo des quatre générations de femmes dans la famille », a proposé mon père. « Tu pourras la mettre juste à côté des quatre Mary. »

Nous sommes sorties en groupe et nous sommes alignées en avant du jardin, le prunier aux feuilles pourpres sur un côté. En attendant que mon mari fasse la mise au point de son appareil photo, le soleil nous faisait plisser les yeux.

« Un petit sourire », nous a recommandé mon père des coulisses alors que tout le monde semblait prêt.

« Attendez », leur ai-je dit, me souvenant de quelque chose d'important.

Je suis allée au jardin chercher une ancolie et l'ai tendue à ma petite fille.

— *Peggy Vincent*

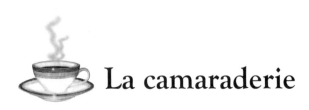 # La camaraderie

Cette histoire aurait pu se passer n'importe où, mais c'est en Angleterre que Ursula et Margrit de Suisse, Erika du Canada, Sherry de Pennsylvanie et moi, Barbara, du New Jersey, avons découvert le vrai sens du mot camaraderie. Nous nous sommes rencontrées à Londres pour faire une randonnée de sept jours le long de la côte de Cornouailles, de Penzance à Falmouth. Trois randonneuses chevronnées et deux néophytes se sont mises en route avec la confiance et l'optimisme fondamentaux que la plupart des femmes partagent, même si une seule d'entre nous connaissait les quatre autres. Je ne m'inquiétais pas outre mesure car c'était Ursula, une de mes plus anciennes et de mes plus chères amies, qui avait choisi les participantes et la destination de notre toute première aventure de randonnée en groupe, et quelle aventure ce fut !

Elle nous avait promis qu'un « ange gardien » s'occuperait de la progression de la randonnée et la veille de notre première journée, elle nous a effectivement présenté Stuart. Il nous a rencontrées à Penzance et nous a fourni les cartes de randonnée pédestre de la semaine, l'itinéraire des auberges et sa promesse formelle de transporter nos bagages, et nous le cas échéant, à la destination de chaque journée. De quelque façon que ce soit, nous nous rendrions toutes à Falmouth. Sur six des sept jours, il nous précédait, nos valises entassées dans sa voiture compacte. La journée où une passagère a occupé l'espace réservé aux valises, ce qui a obligé Stuart à faire un deuxième voyage pour récupérer les valises laissées derrière, il n'a pas rouspété. Nous n'avons jamais divulgué l'identité de la randonneuse qui a abandonné cette journée-là. La loyauté régnait.

Après un petit déjeuner copieux, nous commencions notre marche vers neuf heures, un compromis entre les lève-tôt et les lève-tard. Nous choisissions la « gardienne » de la carte, ce qui était plutôt un honneur car la carte était placée dans un étui de plastique et suspendue à une chaîne comme un collier gemmé de grande valeur. Chaque femme la portait avec fierté, puisque ce jour-là, elle devenait notre chef. Chacune a eu son tour. L'équité régnait.

Nous étudiions la carte sur laquelle étaient esquissés des champs verts, des dessins et des points d'intérêt. Bien que son format particulier soit logique, puisque nous faisions de la randonnée, les néophytes ont été surprises. Pour des citadines, les terres agricoles, les enclos et les chemins de falaise se ressemblaient. Très tôt, nous nous sommes rendues compte que mon podomètre ne pouvait pas estimer notre vitesse et nous nous sommes demandées comment mettre en corrélation le kilométrage à faire et la durée que nous avait indiquée Stuart. Comme aucune d'entre nous n'était très bonne en mathématiques, nous avons fini par faire fi des calculs et nous nous sommes tout simplement concentrées sur la destination à atteindre. Un mauvais tournant et nous devrions peut-être renoncer à l'auberge pour la nuit ou, pire, au dîner. Nous nous sommes concentrées. La détermination régnait.

Nous sentions que nous avions bien mérité nos dîners gastronomiques. Nous enlevions notre tenue de randonneuse et nous mettions sur notre trente et un, juste pour nous prouver que les rigueurs de la journée n'avaient pas causé de dommages permanents. « T'es pas encore prête ? » clamait-on toutes à celle qui prenait le plus de temps à se pomponner. Nous l'attendions quand même et nous présentions toutes à la salle à manger ensemble. Nous commencions par lever notre verre au progrès accompli et au miracle d'avoir abouti au bon endroit. Nous ajoutions un léger facteur arbitraire au compte de kilométrage de Stuart pour ne pas nous sentir coupables de nous gaver des délicieux plats présentés. Chaque auberge nous préparait un déjeuner consistant, mais, à moins que nous ne passions par un petit village, nous ne prenions pas de casse-croûte. Ce qui fait qu'à l'heure du dîner, une faim vorace nous tenaillait. Tous les soirs, nous nous adonnions donc sans culpabilité aux plaisirs du palais.

La première fois que nous nous sommes perdues, nous aurions volontiers demandé des indications à quelqu'un. Mais comme les vaches ne peuvent pas parler, nous ne pouvions compter que sur nous-mêmes. Chaque journée ressemblait à une chasse aux trésors. Nous escaladions un nombre interminable de murs à pierres de gué, divisant les pâturages, en espérant que nous allions dans la bonne direction. Souvent, ce n'était pas le cas et nous étions obligées d'escalader des murs encore plus hauts ou de nous faufiler à travers des clôtures qui n'auraient pas dû être sur notre route. Une fois, nous avons dû rentrer le ventre et nous glisser sous une barrière car le mur avoisinant était hérissé de barbelés à perte de vue. Lorsque la randonnée nous a emmenées le long de falaises, nous avons dû être distraites par la vue imprenable et avons pris le mauvais tournant qui nous a amenées à la plage. Soudainement, nous nous sommes retrouvées à patauger dans l'eau et à escalader des grosses pierres, nous donnant à tour de rôle la main pour gravir les plus escarpées jusqu'à ce que nous arrivions de nouveau à la falaise. L'esprit d'équipe régnait.

Stuart nous avait indiqué les heures à respecter en route, nous mettant en garde contre la marée haute qui risquait de nous laisser en rade sur une île si nous n'atteignions pas le continent à temps et nous rappelant que nous devions absolument prendre le traversier avant son dernier départ à 17 h. Nous nous demandions s'il ne voulait pas tout simplement ajouter un peu de piquant à notre aventure, mais nous n'osions pas faire fi de ses recommandations. Cela augmentait la tension que pouvaient ressentir cinq femmes dans la quarantaine et la cinquantaine qui se sentaient passablement vannées après une marche de sept ou huit heures. Mais nous continuions notre randonnée avec acharnement. Le courage régnait.

Nous excellions toutes à faire les bagages. Ce que l'une d'entre nous avait oublié, l'autre s'en était souvenue et en avait apporté en double, y compris les articles les moins courants. À la fin de la deuxième journée, nous avions toutes, sauf une, des ampoules. Alors que nous nous plaignions en trempant nos pieds meurtris dans l'eau froide, nous avons demandé son secret à celle qui n'en avait pas. « La moleskine, nous a-t-elle avoué, vous ne l'utilisez pas ? » Nous n'en avions jamais entendu parler. Alors Erika, qui avait même glissé des couteaux dans ses bagages, devint notre infirmière résidente, taillant la moleskine pour soulager nos pieds endoloris. Nous rions encore aujourd'hui de la photo que nous avons prise de nos huit pieds et quarante orteils, parés de différents motifs de moleskine. Elle nous a fait découvrir un monde sans douleur. Le maternage régnait.

À la fin de notre troisième journée épuisante, nous étions ravies de voir de loin notre hôtel. Nous espérions du moins que c'était notre hôtel. Nous nous étions perdues, avions marcher sous la pluie battante pour ce qui nous semblait des heures et c'est en nous traînant presque que nous avons fait les quelques centaines de verges qui nous séparaient de l'hôtel. Un examen plus minutieux a révélé une entrée majestueuse dont l'escalier nous semblait aussi haut que le mont Everest. Nous nous sommes traînées jusqu'au haut de l'escalier. Nous n'allions sûrement pas imiter l'entrée triomphale de Silvester Stallone dans *Rocky*. Le personnel nous a accueillies avec courtoisie, toutes trempées et débraillées que nous étions. De tous les endroits où nous pouvions arriver débraillées, trempées, épuisées et affamées, pourquoi fallait-il que ce soit le plus élégant hôtel de notre itinéraire ? Espérant rectifier la triste première impression que nous avions donnée, nous nous sommes jurées de rassembler notre énergie pour nous faire belles du mieux qu'on le pouvait pour le dîner et nous nous sommes encouragées mutuellement en nous assurant que la tâche ne serait pas difficile. L'acceptation régnait.

Le chocolat Cadbury représentait pour moi l'une des joies d'être en Angleterre. Les autres ne semblaient pas être des accros du chocolat, mais moi je satisfaisais quotidiennement mon besoin de chocolat grâce à la réserve que j'avais dissimulée dans une cache dès que je m'étais rendu compte que le chemin que nous allions suivre était rural et éloigné. Plus on marchait loin, plus j'étais heureuse d'avoir eu la prévoyance d'en acheter par anticipation. J'ai toutefois dû mal calculer le nombre de tablettes ou j'ai dû en avoir trop pris une fois ou deux parce que, avant d'arriver à Falmouth, j'avais épuisé ma réserve.

Comme nous prêtions grande attention à nos besoins mutuels, mes amies ont remarqué que j'avais passé une journée complète sans manger de chocolat et m'ont demandé pourquoi. Lorsque je leur ai avoué que mes provisions étaient épuisées parce que j'avais été trop gloutonne, elles ont éclaté de rire et m'ont donné une tablette que l'une d'entre elles avait eu l'intention de ramener à la maison. « Personne n'en a autant besoin que toi », m'ont-elles affirmé en chœur. Le partage régnait.

Après sept journées magnifiques de randonnée, nous nous sommes félicitées de la bonne entente qui avait régné au sein du groupe. Plus on apprenait à se connaître, plus on se sentait proches. C'est ce qui arrive lorsqu'on ne peut dépendre que de son petit groupe. Il n'y a pas eu de problèmes insurmontables. Il n'y a pas eu de désaccords ni de bisbilles. Nous avions toutes bon caractère et aimions nous amuser. Il n'y avait pas eu de crises de colère parce que nous nous étions perdues, étions arrivées en retard, avions essuyé des intempéries et attrapé des ampoules. Nous avons tourné à la plaisanterie chaque calamité et nous rions encore aujourd'hui quand nous nous remémorons notre aventure. Le rire régnait.

Si je m'en souviens bien, Stuart avait calculé qu'il y avait soixante-cinq milles entre Penzance et Falmouth. Le podomètre que je portais toujours indiquait cependant que nous avions fait quatre-vingt-deux milles. Nous faisions tous les jours un maximum de quinze milles et quart, mais la plupart des jours, ce n'était que dix milles. Il nous est arrivé de nous perdre mais ce n'était pas la seule explication de l'écart. En fait, nous avions fait beaucoup de balade à pied et d'exploration. Même perdues, nous avions eu du plaisir. La persévérance régnait.

La dernière soirée de la randonnée, Stuart s'est joint à nous pour dîner. Lorsque nous lui avons raconté quelques-unes de nos mésaventures, il a ri de bon cœur avec nous. Puis, sur un ton grave, il nous a dit à quel point il était fier de nous. Nous étions tellement émues que nous étions au bord des larmes jusqu'à ce que Ursula sauve les apparences. Étant d'un optimisme à toute épreuve et étant persuadée de notre succès, elle avait fait faire des diplômes de randonnée pour tous les membres du groupe attestant que nous avions fait une randonnée d'au moins soixante-cinq milles (plus quelques milles pour des détours prévus et imprévus) dans la côte de Cornouailles, de Penzance à Falmouth en Angleterre. Elle avait fait imprimer notre nom sur chaque certificat, avec de l'espace pour la signature des autres membres du groupe et même un espace pour Stuart, notre « entraîneur ». Ce sont des souvenirs impérissables. Les gentilles attentions régnaient.

Dans ma recherche d'amitié sincère, de travail d'é-quipe altruiste, d'union constante et de soutien inconditionnel, j'ai appris que ce n'était pas l'emplace-ment qui comptait, mais plutôt les gens et surtout, surtout, les femmes !

— Barbara Nuzzo

 # La légende de la petite amie idéale

Autrefois, j'avais un don extraordinaire. J'étais capable de me métamorphoser instantanément en la femme parfaite, avec l'incitation adéquate, cette incitation étant un bel homme, pourvu d'un emploi rémunéré, sans casier judiciaire, suffisamment cultivé, qui aime le vin, la musique, les musées et s'intéresse à moi...un homme en situation de se marier.

Il suffisait que M. Bon à marier me dise « Est-ce que je peux t'appeler ? » pour que je commence tout de suite à tournoyer comme Linda Carter dans *Wonder Woman*. Les étincelles jaillissaient, ma chanson-thème se faisait entendre et lorsqu'on commençait à voir clair, je m'étais, comme par magie, transformée en ELLE. Vous savez parfaitement bien de quelle ELLE je parle. Vous l'avez peut-être vue au restaurant ou l'avez connue à l'école secondaire ou vous êtes peut-être cette ELLE dont je parle. Je vous parle de la petite amie idéale. Celle qui ne discute jamais, ne se plaint jamais et qui, extérieurement, ne manifeste aucun mécontentement au sujet de ce que son futur mari fait ou ne fait pas.

L'absence de fonctions corporelles est l'un des déguisements les plus spectaculaires de la petite amie idéale. Je suis certaine que vous la connaissez bien vous aussi. Elle ne rote pas, n'urine pas, ne sent pas et n'a pas de poils superflus. L'histoire mythique selon laquelle une fois j'aurais peut-être pété ressemble à une légende urbaine. Quelqu'un connaîtrait quelqu'un qui connaissait quelqu'un qui était présent lorsque la chose se serait soi-disant produite, mais qui n'en aurait pas été témoin lui-même.

Bien entendu, tout ceci n'est qu'une répétition pour le jour où la petite amie idéale deviendra la merveilleuse épouse qui possède des pouvoirs encore plus surhumains. Ces pouvoirs incluent, mais non de façon limitative, la préparation de repas gastronomiques à cinq services, le fait de donner naissance à des enfants brillants, de tenir sa maison comme le recommande le feng shui tout en gagnant un salaire de plus de cent mille dollars et de rendre l'homme fier qu'elle soit à son bras lors des réceptions où le port de la cravate noire est exigé.

Pourquoi, me direz-vous, me torturer ainsi ? Pourquoi ne pas laisser tomber le masque et être moi-même ? Je vais vous le dire…

Tout a commencé lorsque j'avais environ seize ans. J'étais dans la cuisine en train de cuisiner avec ma grand-mère. Je crois que nous faisions des frites. Ma grand-mère, une femme merveilleuse, même s'il lui arrivait d'être franche jusqu'à en être méprisante, qui a été élevée dans le Sud, me regardait éplucher les pommes de terre et m'a déclaré avec certitude : « Ma pauvre chérie, tu ne dénicheras jamais de mari si tu continues à éplucher les pommes de terre de cette façon ! »

En y repensant, je me rends compte que l'idée de ma grand-mère que ma capacité à me trouver un mari était étroitement reliée à mon adresse à éplucher des pommes de terre était quelque peu tirée par les cheveux, voire (pardon grand-mère) tout à fait farfe-lue. Mais j'avais seize ans et peu d'expérience dans ces choses. Ma grand-mère avait au moins trois fois mon âge et elle avait réussi à accrocher le meilleur homme sur terre : mon grand-père. Alors peut-être que ce qu'elle affirmait avait quand même un grain de vérité.

À partir de ce moment, j'ai fait appel aux lumières de ma grand-mère pour connaître les autres moyens éprouvés de conquérir un homme. Je me disais que puisque j'avais échoué à l'examen d'épluchage des pommes de terre, je ferais mieux de découvrir quels autres aspects je devrais travailler. Après tout, pour une femme, seule la mort est pire que de ne pas avoir de mari, n'est-ce pas ?

Le fait d'être capable de retracer l'origine de ma névrose à cette expérience est ce que les thérapeutes appellent une percée décisive ou que Oprah Winfrey appelle le moment Aha ! Comprenez-moi bien. Je ne blâme pas ma grand-mère de m'avoir donné de tels conseils. Cette chère disparue, que Dieu ait son âme, m'avait transmis la meilleure stratégie qu'elle connais-sait pour le genre de combat corps à corps que la recherche d'un bon mari implique. Ces paroles de grande sagesse avaient donné de bons résultats dans son cas et elles lui avaient probablement été transmises par sa mère la fois où elle avait mal épluché les pommes de terre. Je comprends aussi pourquoi ces paroles ont bien fonctionné pour elle.

Ma grand-mère a grandi à la fin des années 30, début des années 40. Le monde était différent alors, les hommes étaient des gentleman et il fallait assortir chaque tenue à un foulard de mousseline de soie. Même si les femmes venaient d'obtenir le droit de suffrage, une jeune fille rêvait surtout de rencontrer l'homme de ses rêves, de se marier, d'avoir des enfants et de mourir d'une mort douce, tout ça en restant impeccablement coiffée.

Ce qui est étrange, c'est que quel que soit le nombre de fois où nous voyons une femme à la tête d'une grosse entreprise ou bien que nous visionnons le film *Le club de la chance*, au fin fond de nous-mêmes, nous continuons de croire, en partie du moins, que notre valeur en tant que femme est liée à trois choses : notre beauté, notre capacité à cuisiner et notre capacité à procréer. Ce n'est pas par naïveté que nous croyons à de telles balivernes. C'est parce que nous ne sommes pas prêtes à prendre le risque qu'il pourrait y avoir un grain de vérité dans ces bêtises. Alors, nous croyons à ces mensonges et revêtons notre costume de super-héros (pardon, super-héroïne). Du moins, c'est ce que font certaines d'entre nous et c'est ce que j'ai fait un temps.

Mais laissez-moi vous dire ceci : il n'y a pas de prince charmant galopant sur sa fidèle monture à la recherche de la femme idéale à qui irait la pantoufle de vair. Il n'y a pas de formule toute faite pour trouver un mari pas plus qu'il n'y a (grâce à Dieu) une bonne et une mauvaise façon d'éplucher les pommes de terre. Et s'entortiller comme un bretzel pour se conformer à l'image de nous que recherche une autre personne n'en vaut vraiment pas la peine. Tôt ou tard, vous oublierez d'aller chercher votre cape magique chez le nettoyeur ou la poussière magique qui vous empêchait de voir tombera et vous verrez alors que le prince charmant n'est en fait qu'un troll.

Les amères leçons que la vie m'a assénées m'ont fait comprendre qu'il est préférable d'être intacte et seule plutôt que d'être avec quelqu'un, mais de n'avoir qu'une version fragmentée de soi-même. Avec un homme ou sans homme, avec des enfants ou sans enfants, qu'elle cuisine comme Martha Stewart ou qu'elle brûle le maïs soufflé dans le micro-ondes, chaque femme a droit au bonheur et au succès, telle qu'elle est. Alors mesdames, levez le masque, laissez-vous aller, laissez venir les choses. Et disons toutes à la petite amie idéale d'aller se faire voir ailleurs.

— *Shaun Rodriguez*

Le voyage au pays d'abondance

Il y a deux ans, ma mère s'est achetée une petite cabane à rondins dans la forêt de Cloudcroft, au Nouveau-Mexique, où elle pourrait se consacrer à ses huiles sur toile et échapper à la chaleur du Texas.

Cet été, maman appela pour m'annoncer qu'il faisait 70 dans les montagnes. « Pourquoi ne venez-vous pas me rendre visite ? » me demanda-t-elle.

Mon mari ne pouvait pas quitter le bureau, mais je décidai d'y aller quand même avec notre fille de sept ans, Mindy. Nous laissâmes le chien et les cinq chats à mon mari, à qui j'avais laissé plein d'instructions sur la porte du réfrigérateur. Nous partîmes donc pour un répit de deux semaines : passant du niveau de la mer à une altitude de plus de 9 000 pieds.

Maman vint nous chercher à l'aéroport d'Alamo-gordo, situé tout près, et après nous être embrassées, je me préparai pour le trajet agréable en voiture jusqu'à la cabane. À mesure que nous montions vers la montagne, l'autoroute de quatre voies devint une route à deux voies, bordant le mur d'un canyon escarpé. Nous commençâmes à voir de beaux champs couverts de fleurs sauvages, des vergers et des pins. Maman s'arrêta à une aire de repos pour que nous puissions nous dégourdir les jambes. Mindy nous montra du doigt les crochets de descente en rappel à partir d'un pic dans un ravin. La vue était spectaculaire.

Lorsque nous nous remîmes en route, de sombres nuages de pluie commençaient à s'amonceler autour du sommet de la montagne.

« Est-ce que ce n'est pas là que nous allons ? » demandai-je en montrant du doigt la crête montagneuse brun fumée.

« Oui ». J'espère que nous arriverons avant l'orage de l'après-midi.

Je changeai de position sur le siège velouteux de la Crown Victoria de 1989. Maman fouilla dans son sac, en sortit un briquet et alluma une cigarette. À mesure que nous montions dans la montagne, un brouillard épais semblait envelopper la voiture.

« Accrochez-vous les filles ! » nous dit maman alors que la voiture négociait un virage raide.

La route non revêtue menant à la cabane était montante. Le moteur pétaradait alors que la voiture bondissait par-dessus les gros rochers de la route boueuse et que ma vie défilait devant moi.

Le tour en voiture infernal se termina brusquement, un peu comme lorsqu'on est désarçonné du taureau lors du rodéo.

« Nous y voilà ! annonça maman, qu'en pensez-vous ? »

Je ne pouvais pas penser : mon cerveau était ramolli à force d'avoir été secoué.

« Je veux aller à la toilette », grommela Mindy en faisant des bonds sur le siège arrière.

« Il n'y a pas de salle de bain, lui répondit maman, mais tu trouveras une toilette extérieure un peu plus haut. »

La cabane était nichée sur le côté de la montagne à un angle de 45 degrés et la toilette de placage avec éclats de bois était située à quelques verges au-dessus. La portière de la voiture s'ouvrit avec force, poussée par le vent.

« Au moins, nous ferons un peu d'exercice », dis-je alors que Mindy et moi nous dirigions vers la toilette.

Les aiguilles de pin qui jonchaient le sol rendaient le sentier glissant. Mindy fit quelques pas, virevolta et tomba lourdement sur son arrière-train.

« T'es-tu fait mal ? » lui demandai-je en l'aidant à se relever et en balayant de la main la saleté de ses vêtements. Une substance gluante resta collée à ma main. « Pouah ! Qu'est-ce que c'est que cette odeur ? », demandai-je en examinant ma main.

« C'est du caca de raton-laveur », dit maman de loin, sachant par expérience qu'il était préférable de ne pas se rapprocher.

Ça faisait moins de cinq minutes que j'étais arrivée à la cabane de maman et je devais déjà nettoyer.

« Prends ce seau et nous irons puiser de l'eau au puits pour la nettoyer », me dit maman.

« Puiser de l'eau ? » répétai-je sans en croire mes oreilles.

Non seulement il n'y avait pas de salle de bain, mais il n'y avait pas d'eau courante ! La cabane de maman était plus rustique que je ne pensais. Et ce n'était que le début d'une série de découvertes ahurissantes.

Ma mère était habituée à vivre dans le luxe. J'étais donc très surprise de voir qu'elle prenait plaisir au travail difficile qu'exigeait la vie en montagne. Et lorsque j'entrai dans la cabane, je constatai que le fait de s'éloigner de la civilisation avait mûri ses talents d'artiste : plusieurs belles huiles sur toile étaient appuyées contre le mur pour sécher. Ça faisait des années que maman n'avait plus envie de peindre.

Le soleil se coucha derrière les arbres et la soirée devint plus fraîche. Nous fîmes un feu dans le poêle en fonte sur la véranda. Des sons étranges semblaient s'amplifier alors que la nuit tombait.

« Qu'est-ce que ce bruit, maman ? » me demanda Mindy en se blottissant sur mes genoux.

Des visages masqués commençaient à apparaître autour de la véranda. La lumière du feu éclairait leur museau noir brillant et leurs yeux ronds comme un bouton.

« Oh, c'est Mme Raton-laveur et ses cinq enfants qui viennent nous rendre visite », répondit maman sur un ton enjoué. « N'ayez pas peur ; ils ne vous feront pas de mal. »

À l'heure du coucher, Mindy et moi prîmes les couchettes en haut du grenier à charpente en A. À une heure, Mindy se réveilla et demanda à aller à la toilette extérieure.

« Maintenant ? » râlai-je en cherchant la lampe de poche. Je mis mes souliers, emmitouflai Mindy et lui donnai la main alors que nous grimpions jusqu'à la toilette extérieure.

La lumière du croissant de lune créait de longues ombres minces sur le sentier. Les étoiles ressemblaient à des perles de cristal dans le ciel. Soudainement, le silence fut rompu par le bruit d'une pomme de conifère tombant sur le toit en métal de la cabane. Mindy se précipita dans mes bras. « Maman, est-ce qu'il y a des ours ici ? »

« Ce n'est pas le moment de me poser cette question », répondis-je en tremblant.

« Je n'ai pas vraiment besoin d'aller à la toilette. Retournons à la cabane. »

Je n'allais pas discuter. Nous fîmes demi-tour et retournâmes à notre couchette à toute vitesse.

Quelques heures plus tard, le soleil du matin scintillait sur notre fenêtre. Nous nous réveillâmes au son des abeilles qui bourdonnaient dans les murs de la cabane. Mindy décréta qu'on se croirait au cabinet du dentiste et ramena la couverture sur sa tête pour dormir un peu plus longtemps. Maman fit des œufs au bacon sur le feu en plein air alors que j'allais puiser de l'eau dans le puits et faisait du café. Les écureuils bavardaient ensemble et se réprimandaient depuis la cime des arbres. Les colibris s'élançaient d'un arbre à l'autre. La faune avait laissé ses traces partout : traces de cerfs, déjections de ratons laveurs et même marques de griffes d'ours sur les arbres.

« Ici, c'est le pays béni de Dieu », déclara ma mère avec fierté.

Après quelques jours, nous descendîmes au village de Cloudcroft pour faire l'épicerie. Le village ressemblait à une scène de film Western. Pour trois dollars, un homme offrait aux touristes un tour dans son buggy tiré par un cheval. Mindy et moi fîmes le tour du village tandis que maman visitait ses amis.

Sur le chemin du retour à la cabane, nous nous arrêtâmes pour faire le plein d'essence à un magasin pittoresque du village. Mindy me tira par la manche en pointant du doigt : « Regarde le gros chien ! »

Je regardai dans la direction où Mindy pointait : « Ce n'est pas un chien Mindy. C'est une louve ! »

« C'est l'animal de compagnie du propriétaire », ajouta ma mère.

L'animal dégingandé avait une belle queue touffue et un pelage soyeux aux stries blanches et grises. Elle nous observait de ses yeux dorés pénétrants. Le propriétaire se tint debout auprès de Mindy pour qu'elle puisse caresser la louve pendant que je prenais des photos.

C'est une expérience que je n'oublierai jamais. Nous vivions comme *Grizzly Adams*. Nous nous lavions dans un seau, lavions la vaisselle et les vêtements dans un seau, ramassions du bois de feu dans un seau et — après la première nuit — convertîmes un seau en pot de chambre.

De retour chez nous, nous eûmes beaucoup d'histoires à raconter au sujet de la montagne et de ses animaux, de la ravissante cabane et de la toilette extérieure qui l'était beaucoup moins.

« Mais comment ta mère fait-elle pour survivre sans les objets de première nécessité ? » me demanda mon mari.

Je réfléchis un moment. « Pour maman, la solitude et la nature sont des objets de première nécessité. Elle ressent peut-être ce que le célèbre peintre américain Albert Pinkham Ryder a ressenti lorsqu'il a dit : « L'artiste n'a besoin que d'un toit, d'un quignon de pain et d'un chevalet. Le reste, Dieu le lui donne en abondance. »

— *Gina Tiano*

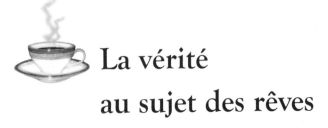# La vérité
au sujet des rêves

J e n'oublierai jamais cette « réunion très importante » que j'eus avec mon conseiller d'orientation
professionnelle au cours de ma dernière année à l'école
secondaire. Je lui fis part consciencieusement de mes
aspirations et anticipais avec plaisir les conseils judi-
cieux — qui changeraient ma vie — qu'il me donnerait
au sujet de la meilleure façon d'atteindre mes buts
éducatifs et professionnels. Il me déclara toutefois
qu'en fonction de mes antécédents scolaires, je n'étais
pas faite pour les études supérieures et que je ferais
probablement mieux de suivre un cours de secrétariat.
Ses conseils changèrent ma vie, mais pas dans le sens
qu'il avait prévu puisque je ne les suivis pas. En fait, je
n'en tins même pas compte. En essayant d'assigner des
limites à mon avenir, il affermit ma résolution à m'inscrire à l'université et à choisir une carrière qui me plaisait. Je n'avais pas envie de devenir secrétaire ni
l'intention de le devenir.

C'est donc à dix-huit ans que je pris en main ma destinée. Je décidai du genre de collège où je voulais m'inscrire : un petit collège, où les rapports seraient personnels et où l'on susciterait mon enthousiasme et stimulerait mes divers intérêts. Je consultai de nombreux catalogues et ressources avant de tomber sur celui qui me convenait : le Endicott Junior College, à l'époque un collège pour femmes situé à Beverly, au Massachusetts. Lorsque j'allai visiter le collège, je me sentis tout de suite chez moi et j'arrêtai mon choix. Ce fut le seul collège que je visitai, auquel je présentai une demande et qui m'interviewa. Autour de moi, tout le monde s'affolait : « Mais es-tu cinglée ? Ce n'est pas comme ça que ça marche ! » C'est une réaction que j'observerai à maintes reprises, à différentes périodes de mon existence.

Endicott m'accepta pour le semestre d'automne. Tout de suite, je sus que j'avais fait le bon choix. Après avoir étudié des sujets allant de l'anglais et de l'éducation des jeunes enfants à la psychologie et à l'art, je décrochai un grade d'associé en publicité et mon nom fut inscrit au tableau d'honneur du doyen. Je fus élue vice-présidente de la gestion étudiante et je chapeautai le comité des questions étudiantes. Je devins aussi membre de Shipmates, un comité d'accueil des futures étudiantes et je me fis des amies pour la vie. Et dire que le conseiller avait jugé que je n'étais pas faite pour le collège !

Comme la publicité est un champ très vaste, je décidai de me spécialiser en graphisme et de poursuivre mes études au collège communautaire local. Je décrochai un autre grade d'associé, cette fois-ci en arts et je m'inscrivis à l'une des universités d'État. J'étais déterminée à décrocher mon baccalauréat et je le fis, tout en ayant deux emplois à temps partiel.

Maintenant que j'avais terminé mes études et que j'étais sur le point de débuter ma carrière, je réfléchis à l'orientation que je voulais prendre. Où voulais-je travailler ? Quel genre de poste cherchais-je ? Quel genre d'environnement de travail recherchais-je ? Où voulais-je habiter, me lever chaque matin, me rendre au travail et retourner le soir chez moi ? Ma réponse était toujours la même : l'endroit que j'aimais visiter avec ma famille tous les ans, Disney World à Orlando, en Floride.

Après mûre réflexion, mon petit ami et moi décidâmes de nous marier le printemps suivant et de déménager en Floride, laissant derrière famille, amis, maison et emploi. Les gens étaient éberlués : « Pourquoi la Floride ? Vous ne pouvez pas déménager sur un coup de tête ! » Je leur souriais et leur répliquais que j'avais toujours voulu travailler au service du dessin publicitaire de Disney. « Tout le monde aimerait ça, ma chérie ! Mais dans la vie, on n'a pas toujours ce qu'on veut. » « Pourquoi pas ? » me disais-je. Toute ma jeunesse, j'avais vu les films, lu les livres et écouté les chansons de Disney qui me conseillaient de pourchasser mon rêve, de faire un vœu et de trouver mon prince charmant. J'avais trouvé mon prince, il me restait à réaliser mes autres rêves.

Nous emménageâmes en Floride et peu de temps après, je commençais à travailler au LEGO Imagination Center, à downtown Disney. Ce n'était pas le service du dessin publicitaire, mais je savais que tout ce que je faisais me rapprochait du poste que je visais. Je présentai mon curriculum vitae au service du dessin publicitaire, continuai à travailler fort au centre LEGO et, dix mois plus tard, le groupe de dessin publicitaire de Disney me conviait à une entrevue. Je nourrissais un formidable espoir, sans m'attendre toutefois à un miracle. Je n'avais presque pas d'expérience en dessin publicitaire. En revanche, j'avais de l'éducation (merci beaucoup), de la motivation et une entrevue pour le poste de mes rêves. L'entrevue eut lieu dans une grande salle de réunion, en présence de quinze à vingt directeurs artistiques, chefs de projet et dessinateurs publicitaires. J'y mis tellement le paquet que j'en étais impressionnée. Le simple fait d'être dans cet édifice et d'avoir l'occasion de présenter mes titres et qualités à ce groupe de personnes de distinction raffermissait ma confiance en moi.

Je n'eus pas le poste, pas ce poste, pas encore. Ils me conseillèrent d'acquérir de l'expérience pratique et de repostuler et qu'entre-temps, ils garderaient mon dossier. Je les crus et je suivis leurs recommandations. Je me trouvai un emploi dans un magazine. Tout en rodant mes compétences en dessin, je me découvris une nouvelle passion : l'écriture. Sans perdre de vue mon objectif de travailler un jour pour Disney, je gravis les échelons jusqu'à devenir l'adjointe du directeur artistique.

Environ un an et demi plus tard, je reçus, la même semaine, quatre appels qui me mirent dans un état de grande excitation : un de Nickelodeon, un de Harcourt-Brace Publishing, un du groupe de dessin publicitaire de Disney et un du cabinet de mon gynécologue m'annonçant que j'attendais des jumelles identiques. Je passai une entrevue à chacune des entreprises. À Disney, il n'y avait que dix personnes dans la salle cette fois-ci, qui semblèrent surprises par ma croissance professionnelle. Les trois me firent une offre. Le lundi suivant, je débutais comme pigiste dans un poste artistique pour Disney.

Au magazine, mon patron était furieux que je ne lui aie pas donné un avis de démission plus long. S'il avait su depuis combien de temps j'attendais ce moment et comme j'avais travaillé fort pour y arriver, il m'aurait peut-être pardonné. J'étais incapable de retarder même d'un jour la réalisation du rêve de ma vie. Mon plus grand plaisir fut d'appeler mes parents pour leur dire : « Devinez ce qui se passe ? *J'ai réussi !* Maintenant, quand les gens vous demanderont comment je vais, vous leur direz : On ne peut mieux ! Elle habite une région à climat tempéré, a épousé un homme formidable, a décroché l'emploi de ses rêves au sein du groupe de dessin publicitaire de Disney et attend des jumelles pour février ! »

Je reste maintenant à la maison avec mes enfants pour m'occuper de mes nouveaux rêves. Je veux des enfants heureux et en santé, je veux servir de modèle à mes filles et me mettre un jour à l'écriture d'un roman. Je veux vivre ma vie comme je l'entends, aimer et rire, aborder chaque journée l'esprit ouvert. Je comprends maintenant que c'est moi qui tiens la clé de mon bonheur et que le meilleur est à venir.

Si, un jour, mes fillettes m'annoncent qu'elles veulent chanter l'hymne national à un match de hockey de la LNH, peindre une œuvre qui sera exposée dans un musée, danser à Broadway, participer aux épreuves de patinage artistique des Olympiques ou entreprendre une chose que je n'aurais jamais envisagée, je leur dirai qu'elles sont capables d'accomplir tout ce qu'elles souhaitent. Et je serai là pour les encourager et les aider. Parce que je sais que les rêves se réalisent.

— *Shannon Pelletier-Swanson*

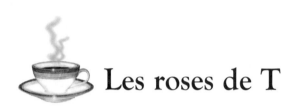 # Les roses de T

Les deux hommes bavardaient avec une facilité qui tranchait sur le cadre dans lequel ils se trouvaient.

« Tu as alors quitté ton poste en tant que directeur de la police ici pour entrer aux Nations Unies ? » demanda Ed, assis sur la chaise à côté du lit d'hôpital de son ami aveugle et gravement malade.

« Non, je suis allé travaillé pour le gouvernement fédéral, l'Agence du Service Extérieur, qui aide les autres pays à moderniser leurs forces policières. »

« Je savais que vous aviez tous les deux vécu en Grèce et au Brésil », dit Ed. « Il me semble me souvenir que vous êtes aussi allés en Libye, ou était-ce au Libéria ? »

« Les deux », gloussa T.

« De vrais membres du jet-set ! Paris ? Londres ? Monaco ? » le taquina Ed.

« Pas du tout ! Nous avons surtout travaillé dans des pays du tiers-monde, déchirés par les coups d'état et le chaos, où les forces policières n'arrivaient pas à protéger les civils innocents : Guam, Salvador, Panama, Colombie, Guyane britannique, Sud-Vietnam. »

« Et Carla t'a accompagné partout ? » demanda Ed.

« Non seulement elle est allée partout avec moi, mais elle a séduit les gens partout où on allait. Elle invitait les gens chez nous et s'est ainsi fait d'excellents amis. Nous recevons encore des cartes de Noël de tous les coins du monde », répondit T.

« Je vois. »

« Ed, c'est la personne qui m'est la plus chère. Elle a partagé tous mes moments et elle est restée à mon chevet lorsque j'ai eu mes crises cardiaques et mes accidents vasculaires cérébraux. Maintenant que je ne vois plus, elle me coupe même la viande dans mon assiette. Lorsque je me perds en allant de la salle à manger au salon, elle me remet dans le droit chemin. Et elle fait tout ça sans se montrer sarcastique ni se comporter comme si elle en avait marre du vieil homme que je suis. »

« Oui, je m'en souviens. Après ton dernier accident vasculaire cérébral, on ne comprenait rien à ce que tu disais. Mais Carla, elle, comprenait », répliqua Ed.

« Tu comprends alors ? »

« Oui, mon vieux, je comprends. »

À trois heures, Carla réussit finalement à quitter l'hôpital pour retourner à la maison. Vidée, elle s'assit sur le bord du lit pour enlever ses souliers puis se laissa tomber, trop fatiguée pour se déshabiller ou même pour se glisser sous les couvertures.

Elle dormit jusqu'à dix heures le lendemain matin, se réveillant pour la première fois dans un monde sans T. Alors qu'il commençait à se remettre de sa dernière crise cardiaque, une attaque l'avait emporté. Il avait fallu une crise cardiaque et une attaque pour immobiliser pour toujours cet homme résolu et solide, mais doux.

Il fallut à Carla deux heures pour se tirer du lit, si vide maintenant sans lui, sachant qu'il ne retournerait plus jamais à ses côtés. Pleurant sous le jet d'eau chaude de la douche, elle se sentit assez revigorée pour s'habiller et commencer sa journée. Elle réussit à aller jusqu'au salon et tira les persiennes avant de s'asseoir dans l'ombre.

À contrecœur, elle tendit la main vers l'enveloppe que T avait laissée sur la table basse entre leurs fauteuils. Il lui avait recommandé de ne l'ouvrir qu'après sa mort. La vue de son nom écrit en lettres montantes maladroites comme il le faisait depuis qu'il avait perdu la vue la déchira. Avec des doigts tremblants, elle sortit le papier de l'enveloppe et fut surprise par la clarté de l'écriture, qui n'était pas celle de T. Les lettres lui semblaient familières, mais elle n'arrivait pas à deviner qui l'avait écrite. En revanche, la signature gribouillée au bas de la lettre était indubitablement celle de son mari.

En poussant un soupir, Carla se mit à lire ce qui lui sembla être une liste. Elle éclata ensuite de rire, en refoulant ses larmes. T s'était senti en paix avec ce qui lui arrivait et il le lui disait sur un ton humoristique, comme toujours.

La liste commençait ainsi : « Si mon corps doit être incinéré, assure-toi d'abord que je suis vraiment mort. »

Le reste était une compilation de rappels de papiers et de choses importantes dont elle devrait s'occuper. La liste était suivie d'une description détaillée du service funèbre qu'il voulait. C'était bien lui de vouloir tout planifier pour atténuer sa douleur. Il voulait un service empreint de dignité, mais aussi de l'humour sardonique dont il avait toujours fait preuve dans les situations difficiles.

Les larmes lui montèrent à nouveau aux yeux et à ce moment même, on cogna légèrement à la porte. « Oh, non », se dit-elle. Il est trop tôt. Elle n'avait pas envie de recevoir de visiteurs. Elle pensa faire semblant de ne pas être chez elle. Mais ensuite, elle essuya rapidement ses larmes, prit une grande respiration et alla regarder entre les lattes des stores qui était le visiteur.

Elle vit la Beetle jaune serin de Ed, garée le long du trottoir et Ed qui se dépêchait de retourner à sa voiture.

« Ed ! » l'appela-t-elle de la porte, mais il se contenta de lui faire un signe de la main.

« Ça va ? » lui demanda-t-il.

Elle fit signe que oui. Ed lui fit un geste de la main, monta dans sa VW et partit.

Une longue boîte blanche de fleuriste était appuyée contre le dormant de la porte. Elle était nouée avec un ruban rouge aux bords dorés comme celle que T lui envoyait pour leur anniversaire de mariage. Carla eut de nouveau les larmes aux yeux alors qu'elle emportait la boîte à la maison et refermait la porte.

Elle dénoua maladroitement le ruban, ne voulant pas le couper. Elle réussit enfin et souleva le couvercle : à l'intérieur, il y avait une douzaine de splendides roses blanches à longue tige. Une petite carte était posée sur le ruban de satin blanc sur laquelle étaient gribouillées des lettres qu'elle avait peine à lire. C'était l'écriture de son mari.

« Merci », disait la carte. « Je t'aime. T. »

— *Mary Jan Nordgren*

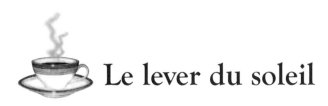 # Le lever du soleil

J e dormais quand je le sentis me toucher le bras et me secouer. J'essayai de l'ignorer, mais il était tenace…comme d'habitude. Je me retournai vers lui et, dans mon demi-sommeil, lui lançai un regard furieux.

« Que veux-tu ? » lui demandai-je d'un ton brusque.

Son visage était caché par l'ombre, mais je pouvais sentir son excitation. Son corps en était contracté.

Il chuchota d'une voix rauque : « Veux-tu voir le soleil se lever ? »

Bien sûr que je voulais. Je m'enveloppai dans mon sac de couchage tandis qu'il me chahutait à voix basse : « Qui veut te regarder de toute façon ? Tu n'as rien à montrer. Tu es plate comme une planche à repasser. »

Il continua jusqu'à ce que je laisse glisser le sac de couchage. Me prenant par la main, il me guida vers le rabat de la tente, en évitant les autres sacs de couchage. Enjamber nos sœurs était facile. Enjamber maman était périlleux. Elle était petite mais dure et s'il fallait qu'elle nous attrape…

Une fois hors de la tente, l'immensité de la montagne nous réduisit au silence et à l'immobilité. Nous restâmes debout à côté l'un de l'autre à contempler le géant violet foncé et à écouter les cris des oiseaux en provenance des arbres sombres.

Au bout de quelques minutes, il se tourna vers moi et me chuchota : « Allons-y ! »

Mel courait en position ramassée comme les Indiens et je dus donc courir comme ça moi aussi, me dépêchant de le suivre à travers les arbres qui m'égratignaient le visage, la peau et les vêtements. En tant que garçon, Mel ne se préoccupait pas de la peau éraflée et des vêtements accrochés. Mon sexe exigeait un sens plus aigu des dommages à ma personne. Plus tard, j'apprendrais à m'inquiéter de choses comme les calories, les lotions solaires et les cheveux indisciplinés. Mais par ce matin tôt dans les montagnes Blue Ridge, la seule chose qui me préoccupait était d'aller aussi vite que mon héros qui ne s'intéressait pas du tout à l'état de mes vêtements ni aux égratignures saignantes de mes bras. Si j'avais osé émettre la moindre plainte, il m'aurait accusé d'être une fille (l'injure suprême) et m'aurait renvoyé à la tente.

Il finit par trouver un chemin que nous empruntâmes sous le clair de lune. Mel me recommanda de faire attention aux ours et quand il comprit que ma gorge se serrait, il me rappela qu'il avait du sang indien. Il ne me vint pas à l'idée de lui répondre que s'il avait du sang indien, il allait de soi que j'en avais aussi. Tout ce que je savais, c'était que sa déclaration de parenté avec la tribu des Cherokees le rendait invulnérable aux meurtriers, aux évadés des asiles d'aliénés qui brandissaient les crochets qui leur servaient de mains, aux petites brutes qui aimaient faire mal aux petites filles et bien entendu aux ours. Si je me tenais près de Mel, rien de mal ne pourrait m'arriver et mon amour pour lui était tellement grand que j'en avais le cœur serré.

Nous trouvâmes un affleurement rocheux sur lequel nous grimpâmes dans la noirceur presque totale et allâmes nous installer au bord du précipice. Les jambes pendantes au-dessus de la vallée de Shenandoah, qui dormait paisiblement à des milliers de pieds au-dessous de nous, mon frère et moi observâmes le soleil se lever sur Blue Ridge.

Pâle et délicate, Dame jour semblait timide au début, se dirigeant poliment vers nous, comme si elle voulait nous saluer dans les formes. C'était une grande dame de l'été, une beauté du Sud timide et d'une élégance discrète, parée de ses plus beaux atours. Elle était vêtue d'une robe rose donnant légèrement sur le mauve, avec une large ceinture orange. Puis, sans prévenir, elle se dévêtit de ses roses et violets frêles et se jeta à notre tête enveloppée dans du bleu, du rouge et du violet intenses. Je me mis à rire et Mel aussi. Sans cesser de balancer énergiquement nos jambes au-dessus du précipice vertigineux, il siffla d'admiration et j'applaudis.

Dame jour se débarrassa ensuite de ses couleurs et se mit à nu devant nous, vêtue seulement du soleil. Sans ses vêtements somptueux, elle était nettement moins attirante. Mel et moi cessâmes de nous y intéresser et nous appuyâmes l'un contre l'autre avec lassitude. Il s'inclinait vers l'avant avant de se redresser en sursaut. Je soupirais, m'assoupissais en m'inclinant vers l'abîme et me réveillais tout d'un coup.

Nous finîmes par nous pelotonner l'un contre l'autre et par nous endormir ainsi dans la chaleur que dégageaient nos corps. Plus d'une heure plus tard, maman nous trouva et nous étions cuits, Mel encore plus que moi. Ça n'avait pas d'importance qu'il ait du sang indien lorsque maman lui hurlait : « Tu es plus vieux qu'elle ! Je suis surprise par ton comportement ! Je m'attends à ce que tu prennes soin de ta sœur ! »

Si vous n'avez jamais reçu de fessée avec une cuillère de bois, je ne peux même pas vous décrire la douleur que l'on ressent. Je vais juste vous dire que l'on se souvient, jusqu'à l'âge adulte, de la douleur causée par ce petit morceau de bois sur des fesses frissonnantes.

Maman se tourna ensuite vers moi. Elle bouillait de colère et me demanda quel enseignement j'avais tiré de cette expérience. Je répondis tout de suite car j'avais prêté attention à ce qui se passait et j'avais bien compris ce qui m'attendait et comment m'en sortir.

« Je suis comme le jour maman », lui répondis-je. « Au début, j'ai peur, mais si je sais que je te plais, je te montrerai toutes mes couleurs. Et si je suis sûre que tu m'aimes, j'enlèverai tous mes vêtements et je danserai ! »

Maman me regarda, sans voix, et je me dis que je pouvais m'en aller et je filai vers le camp avant qu'elle ne se souvienne de ce qu'elle voulait faire. Alors que je passais devant mon frère, je l'entendis murmurer :

« Danser toute nue ? Quelle stupidité ! Et de toute façon, qui aurait envie de te regarder ? »

J'étais heureuse de m'être tirée de ce mauvais pas et ce qu'il pouvait dire ne m'atteignait pas. Mel pouvait prétendre avoir du sang indien. Moi, j'étais l'aube et c'était beaucoup mieux.

— *Camille Moffat*

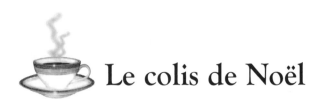# Le colis de Noël

Depuis mon déménagement de Dexter au Michigan, la petite ville du Midwest où j'ai grandi, chaque année, aussi loin que je me souvienne, le colis de Noël arrivait début décembre. Il contenait non seulement les cadeaux des fêtes, mais aussi des cadeaux de l'esprit des fêtes, ces précieux souvenirs de mon enfance qui me ramenaient à une période où la vie était simple et douce.

La boîte était lourde, enveloppée de papier brun et bien attachée avec du ruban de cerclage. L'étiquette ne porte plus les lettres rondes de l'écriture de ma mère, que je connaissais si bien à cause des lettres qu'elle m'a envoyées au fil des ans, mais plutôt l'écriture de mon père.

À l'intérieur, je découvre de petits cadeaux emballés à la main pour la famille : torchons, flacon de lotion après rasage Old Spice, cerises enrobées de chocolat. Il y a aussi le sempiternel gâteau aux fruits que personne ne mange et des cadeaux pour les enfants qui, quel que soit l'âge de ces derniers, semblent toujours être des jouets pour des enfants de dix ans. Avec l'âge, mon père devient de plus en plus économe et, outre les jouets, il envoie aux enfants un billet de 10 $ une année, de 5 $ l'année suivante, puis de un dollar et ensuite trois pièces de 25 cents collées à une fiche.

Les plus beaux cadeaux sont ceux qui ne sont pas emballés : les cadeaux du cœur qui, dans leur similitude d'une année à l'autre, m'émeuvent et me ramènent à mon enfance. Le premier est un sac plein de feuilles du Michigan ! Je déballe avec soin les feuilles colorées aussi minces qu'un parchemin. Lorsque je les lève à la lumière, j'en admire leurs nervures délicates. Ces feuilles me ramènent aux automnes du Michigan où, lorsque j'étais enfant, je ratissais les feuilles mortes et en faisais un grand tas en forme de meules de foin placées le long de la route dans lequel je sautais ensuite à pieds joints. Je me souviens de l'odeur, du crissement et de la sensation d'être couverte par les feuilles alors que je me cachais à l'intérieur de mon nid. Ce délicieux sentiment intime d'être en sécurité dans mon monde de feuilles persiste en moi lorsque je respire leur parfum musqué pénétrant. Lorsque j'en avais eu assez de jouer dans les feuilles, mon père y mettait le feu et j'y jetais des marrons d'Inde provenant du vieil arbre dans notre cour arrière, celui qui était près de mon pavillon, et attendais qu'ils éclatent. Longtemps après m'être couchée, je sentais l'odeur de fumée dans l'air et entendais parfois le bruit d'éclatement d'un marron. Pendant que je me remémore cela, je peux presque sentir la chaleur du feu sur mon visage alors que les feuilles sèches crépitent et se cassent avec un bruit sec au milieu des flammes.

Il y a ensuite la morelle douce-amère : une plante d'un orange brillant donnant des baies qui éclatent de leur enveloppe comme du maïs soufflé. Tous les ans, mon père les cueille le long de routes rurales poussié-reuses. Séchées et attachées ensemble par un élastique épais, elles me rappellent les bouquets de morelles que ma mère conservait dans ses vases bleu cobalt sur le manteau de la cheminée, où elles égayaient les longues journées grises de l'hiver. Au printemps, elle les rem-plaçait par les chatons de saule qui signalaient la fin de l'hiver. Jusqu'à son décès, elle n'oubliait pas d'inclure un bouquet de morelles douces-amères dans le colis de Noël et mon père a maintenu la tradition. Je mets le bouquet séché dans le vase bleu de ma mère où il crée une tache de couleur sur le manteau de ma cheminée.

Le colis de Noël contient toujours un bocal de sauce chaude au chocolat de marque Sanders, telle-ment succulente que je dis à mes jeunes enfants que c'est du poison et me cache ensuite dans la salle de bain, le seul endroit privé de la maison, pour en manger. Cette sauce me rappelle les expéditions de magasinage à Detroit en compagnie de mes parents dans les années 50. Comme nous vivions dans une petite ville, c'était tout un événement que d'aller en ville. Mon père n'aimait pas magasiner, ce qui fait qu'au bout d'une heure, il allait nous attendre dans la voiture avec son journal, un café et un beigne tandis que ma mère et moi faisions le tour du centre commer-cial. Lorsque la saison de Noël arrivait, je suppliais mon père de retarder l'expédition jusqu'à ce qu'il fasse froid et qu'il commence à neiger et qu'il y ait un père Noël à chaque coin de rue. J'adorais la foule, les grands magasins et leurs vitrines décorées ainsi que les cloches que faisait sonner l'Armée du Salut à chaque coin de rue. J'aimais surtout la sensation que provoquait la sortie d'un magasin où il faisait chaud, à la rencontre du vent glacé et des flocons de neige. Nos expéditions incluaient une visite à la buvette Sanders où nous attendions qu'une place se libère au comptoir pour pouvoir nous glisser sur les tabourets de cuir noir et commander une coupe glacée au chocolat chaud et de grands verres d'eau glacée. Les coupes glacées étaient servies sur des plateaux en argent avec un napperon de papier et contenaient quatre boules de glace à la vanille nappées de sauce au chocolat chaud. Pas de crème fouettée ni de cerise qui en masqueraient le goût délectable n'étaient ajoutées. Lorsque j'ouvre le colis de Noël et que j'y reconnais la forme bien connue du bocal de verre de sauce au chocolat chaud dans son emballage de Noël, je peux goûter le chocolat chaud avant même d'ouvrir le bocal.

Et que serait le colis sans pommes du Michigan ! Mon père trouve toujours des façons ingénieuses de les emballer pour l'expédition. Elles sont quelquefois enveloppées dans du papier d'aluminium, d'autres fois dans des sacs de plastique et parfois aussi dans du papier journal. Mon père met une petite étiquette à chaque pomme pour en indiquer le type et l'usage : Red Delicious, pomme de table ; Roman beauty, pour la cuisson ; Macintosh, pomme molle ; Jonathan, se conserve bien. Bien entendu, à cause des pommes, la boîte pèse une tonne. Chaque Noël, quand je reçois un avis du bureau de poste m'indiquant que j'ai reçu un colis, je me dépêche d'aller le chercher et lorsque le lourd colis est transporté à l'extérieur et que le parfum des pommes remplit l'air du bureau de poste, je sais que c'est le colis de Noël. Ce ne serait pas un colis de Noël sans les pommes du Michigan mûries sur l'arbre que m'envoie papa.

Cette année, mon père me rappelle qu'il vieillit et laisse entendre qu'il n'enverra peut-être pas de colis de Noël, mais plutôt de l'argent pour quelques cadeaux. J'en avais presque le cœur brisé ! Je me suis dit à moi-même : « Pas cette année papa. S'il te plaît, pas cette année ». L'année avait été particulièrement dure, avec plus que ma part de chagrin et de perte. Je désirais ardemment cette uniformité dans ma vie, pour que je puisse m'y raccrocher un petit peu encore ; cette conviction, pour un moment du moins, que certaines choses ne changent jamais.

Et Ô joie, le 6 décembre, une carte arrive et lorsque le facteur me tend le colis, je sais tout de suite que c'est le colis de Noël. L'écriture familière et le tampon du bureau de poste de Dexter ne m'apprennent rien de nouveau au sujet de l'expéditeur. Je traîne la lourde boîte à l'intérieur de la maison, coupe le ruban robuste et soulève le couvercle : le parfum familier des pommes remplit l'air et les larmes coulent sur mes joues. Je me sens enveloppée dans l'amour de ma famille. Une fois de plus, mon père a trouvé le moyen de me ramener à la maison pour Noël.

— *Gail Balden*

Le cadeau de Julie

Il y a quelques années, j'occupais un poste bien rémunéré, je travaillais avec des gens formidables et j'aimais l'entreprise pour laquelle je travaillais. Puis, un beau jour, je me suis rendu compte que le travail ne me plaisait pas vraiment ; je m'en accommodais tout simplement. Les vaches s'accommodent de leur situation, me suis-je dit, mais pourquoi les gens le devraient-ils ?

C'est alors que j'ai décidé qu'un changement s'imposait. J'ai mis à jour mon curriculum vitae et j'ai posé ma candidature à un poste supérieur, dans un autre service. La semaine suivante, je suis partie en vacances en Irlande en n'y pensant plus. Lorsque je suis revenue, j'avais un message des Ressources humaines sur mon répondeur m'avisant que j'avais une entrevue l'après-midi même.

Pendant ma pause-repas, je feuilletai une revue donnant des conseils sur la façon de se présenter en entrevue pour décrocher le poste idéal. Je lus aussi des articles sur les messages cachés du langage corporel, sur la façon de s'habiller pour réussir dans la vie et sur les meilleures réponses à donner aux questions d'entrevue. Les conseils ne me semblaient ressembler en rien à ce qui se disait dans une vraie entrevue pour un emploi, à moins que je ne sois plus du tout dans le coup. Je me présentai au rendez-vous, en espérant que les choses se passeraient bien.

L'interviewer était un homme au torse herculéen et portait des bretelles rouge vif par-dessus sa chemise oxford. Il mena l'entrevue du haut de son fauteuil berçant pivotant en cuir alors que j'étais assise sur une petite chaise en bois, au pied de son bureau en acajou. Chaque fois qu'il posait une question, il formait un chevalet avec les doigts puis, après ma réponse, inscrivait quelque chose sur un bout de papier. Au cours de la première demi-heure, il posa les questions habituelles au sujet de mes antécédents professionnels, de mon éducation et de mes objectifs. Il lui arriva d'approuver de la tête à plusieurs reprises et même de sourire quelquefois. Je commençai à me détendre et à reprendre confiance en moi.

Ensuite, me regardant par-dessus ses lunettes à double foyer, il me dit en appuyant le menton sur les mains : « Voici la dernière question : Quel est l'événement ou la réalisation dont vous êtes le plus fière ? »

Une image de Bert Parks tendant le microphone à une concurrente du concours Miss America m'apparut. C'était la question capitale. Une bonne réponse me mériterait l'approbation et le défilé sur la piste avec des roses plein les bras ; une mauvaise réponse m'obligerait à me conduire en bonne perdante en affichant un sourire contraint.

Je réfléchis un moment, me demandant si je suivrais les suggestions de la revue ou obéirais à mon instinct et serais moi-même. Je décidai de passer outre aux conseils de la revue. Si j'allais travailler avec cet homme, il fallait qu'il sache quel genre de personne j'étais vraiment.

« En fait, le moment dont je suis le plus fière ne se rapporte pas à quelque chose que j'ai fait, dis-je, mais à quelque chose que ma fille a fait il y a dix ans. »

Je lui racontai ensuite l'histoire du cadeau de Julie.

Il y a plusieurs années de cela, mon mari, qui servait dans l'armée, a été transféré outre-mer. Nous vivions en Allemagne depuis un an lorsque mon frère a appelé de St. Louis pour m'annoncer le décès de notre père. Comme la plupart des hommes de sa génération, c'était papa qui s'occupait des finances pendant que maman s'occupait de la maison. Au décès de papa, mon frère s'est chargé des finances de maman.

Mon mari, mes deux enfants et moi sommes retournés aux États-Unis pour assister à l'enterrement de papa. Peu de temps après notre retour en Allemagne, mon frère nous a appelés. En examinant les papiers de maman, il s'était aperçu qu'elle n'obtiendrait pas de prestations avant plusieurs mois. D'ici là, elle devrait vivre de ses maigres économies.

Au dîner ce soir-là, j'ai déclaré à mon mari que j'enverrai un peu d'argent à maman. Notre conversation a été interrompue par un appel téléphonique. Une voisine voulait que Julie aille garder ses enfants.

À quatorze ans, Julie était toujours à la recherche de moyens de se faire de l'argent de poche. Elle commençait à s'acheter ses propres vêtements et elle semblait découvrir chaque semaine un *nouveau groupe musical* dont elle devait acheter le disque.

Le lendemain matin, elle m'a tendu une enveloppe.

Lorsque j'ai vu l'adresse et vu que c'était pour ma mère, je l'ai embrassée. Je lui ai dit que j'étais fière qu'elle ait pris le temps d'écrire à sa grand-mère. Elle a haussé les épaules puis est partie pour l'école. Pas de sentimentalisme facile chez elle.

Une semaine plus tard, mon frère m'a appelée. Il m'a remercié pour le chèque et m'a dit que maman avait pleuré lorsqu'elle avait reçu la lettre de Julie. Je lui ai dit à quel point j'avais été heureuse que Julie écrive la lettre sans que je le suggère.

Il m'a alors dit qu'il ne parlait pas de la lettre, mais de ce qu'il y avait à l'intérieur. Julie avait envoyé à sa grand-mère les cinq dollars qu'elle avait gagnés en gardant les enfants. Dans sa lettre, elle disait à sa grand-mère de le consacrer à ce qu'elle voulait.

Je marquai un temps d'arrêt et levai la tête pour le regarder. « Je sais que ce n'est pas vraiment une réalisation professionnelle, mais c'est ce dont je suis le plus fière dans ma vie. »

L'interviewer avait cessé d'écrire et avait posé son stylo.

« Je suis désolée, lui dis-je, ce qui me rend fière n'est pas seulement ce que Julie a fait, mais le fait qu'elle n'en ait parlé à personne. Si mon frère n'avait pas appelé, je ne l'aurais probablement jamais su. »

Il se leva et me serra la main. « Je crois que nous avons tout couvert. D'ici environ une semaine, vous aurez une réponse des Ressources humaines. »

En revenant vers mon bureau, je me grondai d'avoir confié une chose aussi intime à un étranger et me dis que je n'obtiendrais pas cette promotion.

Les Ressources humaines m'appelèrent effectivement une semaine plus tard, pour m'annoncer que j'avais obtenu le poste.

Il y a quelques années, juste avant le départ à la retraite de mon patron, nous avons reparlé de l'entrevue et je lui ai demandé pourquoi il m'avait choisi. Il m'a dit que tous les candidats possédaient les compétences recherchées mais qu'après avoir entendu ce qui me rendait le plus fière, il a décidé que j'étais le type d'employée qu'il recherchait.

Cette fois, c'était moi la bénéficiaire du cadeau de Julie. Une fois de plus, l'acte d'amour que son cœur lui avait dicté il y a de nombreuses années avait donné des dividendes.

— *Donna Volkenannt*

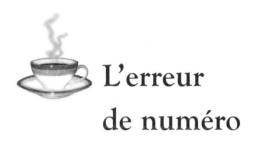 # L'erreur
de numéro

Trois mois après notre retour à Scottsdale, en Arizona, après notre voyage en Écosse, les médecins diagnostiquèrent un cancer chez ma belle-mère Vera, alors âgée de soixante-quinze ans. On ne lui donnait que quelques mois à vivre. Abasourdi par le choc, mon mari, Charlie, se précipita sur Internet pour essayer de trouver des études médicales ou des remèdes susceptibles de prolonger la vie de sa mère, l'assise de sa vie.

Vera commença tout de suite un traitement agressif. En dépit de son âge et de son état qui s'aggravait, les médecins décidèrent que sa seule chance de survie était l'ablation de son rein cancéreux. Toutefois, durant l'intervention, ils découvrirent que le cancer s'était propagé au foie. Durant la période de récupération postopératoire, Vera reçut de la chimiothérapie pour détruire les cellules cancéreuses du foie. Au cours de ces deux premiers mois, Vera, épuisée par la maladie et par les traitements agressifs, dormit vingt-quatre heures sur vingt-quatre.

Lorsque Vera était réveillée, l'amitié chaleureuse d'un couple qu'elle avait connu par accident il y a à peine un an la réconfortait. En voulant appeler sa cousine Shirley en Écosse, Vera s'était trompée de numéro et avait composé le numéro de Margaret et Duncan. Ils avaient bavardé longuement. Mais ça ne s'était pas arrêté là. Il y avait eu d'autres appels téléphoniques et ensuite Vera avait réalisé un rêve qu'elle caressait depuis toujours : visiter l'Écosse. Mon mari, notre fille et moi l'avions accompagnée.

Durant notre voyage en Écosse, Duncan Hamilton nous a amenés à Loch Lomond, pour une croisière d'une heure sur le lac. Margaret et lui nous ont ensuite invités chez eux à dîner et nous ont servi du poisson et des frites et nous ont divertis en nous chantant de vieilles chansons écossaises. Ils nous ont aussi emmenés en voiture à Ayr pour voir la plage et profiter d'une journée ensoleillée et chaude, inhabituelle pour la saison.

Trois mois plus tard, Vera recevait le diagnostic de cancer. Au cours des cinq prochains mois, soit d'octobre à juillet, les Hamilton et Vera se téléphonèrent chaque semaine. Margaret, qui avait eu le cancer et qui était infirmière et enseignante, conseillait Vera au sujet des différentes options de traitement, répondait à ses questions et l'aidait à vaincre ses peurs. Vera en vint à considérer Margaret comme sa sœur.

Margaret et Duncan nous firent la belle surprise de décider de passer leurs vacances d'été en Arizona avec Vera. Pour pouvoir se payer le voyage, ils cumulèrent chacun trois emplois. Pendant six mois, ils travaillèrent sept jours sur sept pour pouvoir payer les billets d'avion, se faire un peu d'argent de poche et nous acheter des cadeaux. Nous étions ravis de revoir nos amis écossais et priions que Vera ait le temps de les voir.

Margaret et Duncan arrivèrent le 1er juillet et restèrent avec nous jusqu'au 31 juillet. À leur arrivée, ils nous comblèrent de cadeaux d'Écosse pour nous témoigner leur reconnaissance de pouvoir rester dans le condo de deux chambres à coucher de Vera. Ils avaient acheté un kilt pour Raina, notre fille de trois ans ; une combinaison écossaise pour Rory, notre bébé ; une poupée en tricot faite main représentant un joueur de cornemuse pour Vera ; un ensemble de napperons et de serviettes pour moi et beaucoup d'autres choses. Duncan avait dû faire quatre-vingts milles en voiture depuis leur maison en Écosse pour acheter ces adorables cadeaux !

Ce ne fut pas des vacances typiques d'un mois. Alors qu'ils étaient en fait de parfaits inconnus, Margaret et Duncan passèrent des heures avec Vera dans les cabinets des médecins, dans les salles d'attente des hôpitaux et dans les pharmacies. Ils firent les courses et préparèrent de bons repas nourrissants pour Vera. Margaret, l'infirmière et maintenant l'amie, s'assura que Vera prenait ses médicaments selon la prescription et montra même aux infirmières du centre médical comment panser le cathéter inséré par voie périphérique pour la chimiothérapie. Les Hamilton s'occupèrent même des besoins les plus intimes de Vera. Ces personnes à la générosité incroyable passèrent tout leur mois de vacances avec notre famille, à soigner Vera et à nous donner à tous de l'espoir.

Pour la plupart des gens, un faux numéro entraîne une brève et laconique rencontre, qui se termine rapidement et est rapidement oubliée. Pour une raison inconnue, deux étrangers presque à l'autre bout du monde chacun avaient décidé de ne pas raccrocher et avaient continué à se parler. Un lien s'était ainsi établi. Une amitié était née. Des vies s'étaient entrelacées. S'agissait-il vraiment d'une erreur de numéro ? Je ne le pense pas. Je suis persuadée que c'est le destin qui a choisi de faire intervenir ces gens merveilleux, dont le numéro a été composé par erreur, dans la vie d'une dame admirable et de sa famille, à un moment où ils en avaient besoin.

— *Robin Davina Lewis Meyerson*

Il faut en profiter !

La tourte au chocolat et aux fraises placée devant moi était le plus haut degré de gâterie, mais comptait aussi un nombre incroyable de calories.

« Cette tourte est tellement riche, que c'en est un péché », me suis-je lamentée.

Mme M., ma vieille amie et une personne qui m'aime, m'a rétorqué : « Non, Nancy, le péché serait de ne pas en manger. »

J'ai ri. Mme M. ne ratait jamais une occasion de partager sa philosophie de la vie, qui se résume en ces mots : *Il faut en profiter* !

De l'âge de ma mère, elle était l'amie de ma grand-mère. Elles avaient fait connaissance au magasin de modiste que Mme M. gérait et où ma grand-mère travaillait comme vendeuse. Dans les années 40, il était presque inconcevable qu'une femme soit gérante. Le fait que les chapeaux lui allaient expliquait en partie son formidable succès. Elle était capable de faire une démonstration de la marchandise avec style et grâce. Mais elle connaissait aussi la marchandise et, surtout, elle connaissait ses clientes. Cela et sa ténacité à toute épreuve lui donnaient l'avantage.

La première fois que je l'ai aperçue, c'était dans la vitrine où elle était en train d'exposer avec beaucoup d'ingéniosité les créations de printemps en prévision de Pâques et de la Pâque juive. Je suis tombée en admiration devant elle. Ma grand-mère m'avait fait mettre ma nouvelle tenue et m'avait emmenée au magasin pour me présenter à ses compagnes de travail. Je n'avais d'yeux que pour Mme M. Elle avait un air majestueux. Grande de taille. Intelligente et brillante. Avec de la classe. Les chapeaux qui auraient eu l'air ridicules sur une autre femme lui donnaient du style. Pour moi, Mme M. était une reine.

Je me souviens de l'avoir observée marcher. Son pas rapide et assuré faisait virevolter ses boucles brunes. Elle marchait comme si elle savait où elle allait et qui elle était. On n'aurait jamais dit qu'elle était née avec une claudication. Avec de la force et de la détermination, elle avait réussi à surmonter ce handicap.

La maladie l'avait rendue incapable d'avoir des enfants. Elle avait donc adopté tout le monde. La première fois que j'ai compris la profondeur de son amour et de sa compassion pour sa famille adoptive étendue, c'est lorsqu'une amie m'a dit que Mme M. payait ses frais de scolarité à l'école pour filles que nous fréquentions.

« Comment ça se fait ? lui ai-je demandé, vous n'êtes même pas parente. »

« Elle s'intéresse à moi » a été la réponse simple, mais complète.

Mme M. était profondément attachée aux jeunes femmes qui travaillaient dans son magasin, « ses filles », comme elle les appelait.

À treize ans, elle m'a donné mon premier emploi : l'emballage des cadeaux à Noël. Quand j'ai été un peu plus vieille, elle m'a affectée à la vente, mais a vite découvert que je n'y avais aucune aptitude. Elle n'a pas renoncé et m'a plutôt montré comment tenir les livres. À seize ans, je suis devenue la plus jeune aide-comptable/caissière que le magasin de modiste ait jamais engagée. Elle m'a non seulement appris la tenue de livres, mais m'a aussi enseigné une éthique du travail qui m'a rendu grand service tout au long de ma vie active. *Sois ponctuelle. Sois honnête. Essaie toujours. Fais de ton mieux. Intéresse-toi à tes compagnons de travail et à tes clients.* Elle ne me débitait pas une litanie de slogans ; elle me montrait plutôt par l'exemple.

Lorsque les employées arrivaient avant l'ouverture du magasin, elle les écoutait lui raconter leur soirée et ce qui se passait dans leur vie, en prenant d'habitude un café. Elle était attachée à elles comme si elle faisait partie de la famille et elle s'intéressait à elles comme personnes.

Elle traitait ses clientes avec la même affection et le même intérêt. Elle avait des clientes « régulières » dont certaines fréquentaient le magasin depuis de nombreuses années. Elles venaient verser l'acompte sur les mises de côté, qui était davantage une excuse pour venir la voir que pour faire réellement les versements. Il arrivait immanquablement qu'une cliente lui demande s'il était possible de sauter un versement. Elle acceptait toujours. Lorsque la cliente effectuait le dernier versement, Mme M. lui apportait le chapeau d'un grand geste théâtral, le plaçait sur sa tête, s'affairait à bien le positionner et à arranger les cheveux en dessous. Cette attention spéciale garantissait une visite de retour, mais ce n'était pas la seule motivation de Mme M. ni même sa principale. Elle tirait du plaisir de voir l'air satisfait et assuré sur le visage d'une cliente avant qu'elle quitte le magasin. Elle connaissait l'importance de se sentir bien dans sa peau et elle était heureuse de voir le visage de la cliente s'éclairer de satisfaction.

Lorsque, à l'adolescence, j'ai commencé à travailler pour elle, elle est devenue ma confidente, la source de nombreux bons conseils, l'oreille toujours prête à écouter. Elle me taquinait au sujet de mon petit ami, mais a fait mon voile de mariée, en cousant des centaines de perles sur la tiare. L'amitié qu'elle me portait ne s'est pas altérée à mon mariage. Après avoir eu mes trois enfants, je suis retournée travailler pour elle. Lorsque je me disputais avec mon mari, elle me disait : « La vie est trop courte pour la passer à se disputer. Savoure le plaisir d'être avec ton mari. Riez ensemble. »

Elle prêchait par l'exemple. Elle voyageait beaucoup avec son mari Frank, prenant plaisir au faste et au glamour de Las Vegas, aux courses de chevaux et au Mardi gras en Nouvelle-Orléans ainsi qu'aux dîners de homards et aux promenades à pied sur la plage du Maine. Quand Frank est devenu aveugle, elle a décidé de rester à la maison à ses côtés.

Cela lui a été difficile de quitter le magasin de modiste, de quitter ses filles. Certaines étaient un sacré numéro, comme dans toute famille, mais elle les aimait toutes, malgré leurs bizarreries. Pour beaucoup d'entre elles, elle était leur patronne et leur mère et, en fait, elle ne voyait pas de grosse différence entre les deux rôles. Les deux exigeaient de la discipline et de la patience. Prendre sa retraite a été une décision difficile pour Mme M., mais une fois cette décision prise, elle n'est jamais revenue sur le passé. Au même moment, elle a décidé de s'occuper de sa mère âgée, dont la santé était fragile.

Elle aimait profondément sa mère et son mari. Son Frank adoré était l'amour de sa vie. Native d'une petite ville, elle avait fait sa connaissance dans une grande ville. Il avait vu une étincelle en elle et l'avait aidée à en faire une flamme éblouissante. Il l'avait encouragée et l'avait adorée. Lorsqu'il avait été confirmé qu'elle ne pouvait pas avoir d'enfants, il l'avait regardée dans les yeux et lui avait dit : « C'est toi que je veux, avec ou sans enfants. » Durant les quarante-trois ans pendant lesquels ils ont été mariés, elle a été follement amoureuse de lui.

Lorsque Frank est mort, Dieu lui a donné un enfant : un petit garçon dont la mère, la fille d'une de ses familles adoptives, avait besoin d'une gardienne. Ainsi a commencé une histoire d'amour mutuel qui continue jusqu'à ce jour. Au fil des ans, Mme M. nous racontait les réalisations de ce jeune garçon et nous demandait de prier pour l'aider dans les combats qu'il devait mener. Une fois, elle nous a envoyé une dissertation où il décrivait son amour pour elle. Un peu tachée de

larmes, nous l'avons reçue avec des instructions strictes de la retourner. Elle prie le Bon Dieu de la garder
en vie assez longtemps pour qu'elle puisse le voir terminer ses études collégiales.

Lorsque j'ai déménagé, Mme M. et moi avons commencé à nous écrire. J'ai gardé précieusement toutes
ses lettres, me donnant de sages conseils. Sur le moyen
d'être heureuse en ménage, elle me conseillait :

> *Aime-le du plus profond de ton âme*
> *Fais-lui la cour, c'est amusant*
> *Blottis-toi souvent dans ses bras et embrasse-le*
> *Aime-le et dis-le-lui*

> Et maintenant que les années ont passé…

> *Achète du Viagra.*

Dans la plupart de ses lettres, elle me conseille de
jouir de la vie, d'être heureuse, de m'amuser, de
manger de bons repas, de visiter des endroits. Car,
après tout, nous ne vivons qu'une fois.

À mesure qu'elle avance en âge, son corps la trahit.
Elle avoue qu'il y a des jours où elle a l'impression que
personne ne l'aime, que tout le monde la déteste et
qu'il ne lui reste plus qu'à s'éteindre doucement.

Ses sages conseils et ses adorables lettres ne sont
pas les seules choses que je recevais d'elle. Sachant que
j'adorais lire, elle m'a envoyé une pleine caisse de
livres. Lorsque je lui ai mentionné que j'avais décoré
de fraises ma cuisine, elle m'a envoyé un tableau de

fraises. Lorsque mon mari s'est retrouvé sans travail pendant une période prolongée et que j'ai déploré le fait que nous ne pourrions même pas célébrer notre anniversaire à cause des dettes accumulées, j'ai reçu un chèque et des directives strictes de le dépenser pour un dîner et un film, et non pas pour payer les factures. Profites-en, me disait-elle.

Même si son corps la trahit, son esprit est encore alerte. Elle adore la série télévisée Jag. Elle prétend que le commandant Harmon « Harm » Rabb a des yeux langoureux. Elle aime sa démarche. Elle le préfère de beaucoup à Nash Bridges ou à Walker.

Une fois elle est tombée et s'est cassé deux vertèbres. Elle n'arrivait plus à respirer, mais a quand même rampé jusqu'au téléphone pour composer le 9-1-1. Lorsqu'on lui a demandé plus tard où elle avait trouvé la force de le faire, elle a répliqué : « Vous savez bien qu'il est impossible de m'empêcher de bouger ! » Et c'était vrai.

Mme M. est maintenant nonagénaire. Elle est encore mon mentor ; elle continue de m'encourager dans ses lettres et de me dire de profiter de la vie. Elle me fait rire avec ses drôles de dictons et sa description de la vieillesse, comme la supplication que j'ai reçue dans une lettre. « Envoie-moi de la poudre de talc. Je ne veux pas dégager une odeur de vieille femme. »

Avec sa philosophie de considérer chaque journée comme un nouveau début, Mme M. me rappelle l'aube. Il y a en elle une fraîcheur, une volonté de prendre des risques et d'empoigner la vie avec ses hauts et ses bas qui rappellent la lumière pure du soleil levant. Je commence chaque matinée avec un petit rituel. Lorsque le soleil se lève et nous salue pour la première fois, je murmure : « Mme M., je vais profiter de cette journée. »

— *Nancy Baker*

# Dans le cœur
de ma mère

Ces derniers temps, je pense à ma mère tous les matins lorsque j'entends ma fille quitter la maison. Rachael aime qu'on la laisse tranquille, alors j'essaie de ne pas être dans ses jambes pendant qu'elle se prépare pour aller à l'école. J'entends ses pas résonner dans l'escalier, l'eau qui coule dans la douche, la musique dans sa chambre, le bruit de fermeture des tiroirs et ensuite de la porte.

Je l'entends surtout partir. J'entends l'ouverture et la fermeture de la porte bruyante du garage et le bruit de la voiture en marche arrière alors que Rachael recule pour sortir de l'entrée du garage. Je l'entends partir et je prie pour sa sécurité. Environ une heure plus tard, je me dis qu'il s'est écoulé assez de temps et que personne ne m'a appelée, ce qui veut dire qu'elle est en sécurité.

C'est à ce moment que je pense à ma mère. Je comprends maintenant ce par quoi elle est passée en ce temps-là, lorsque je ne pouvais pas l'imaginer comme je suis venue finalement à la connaître.

Mon frère Kevin avait dix-sept ans, l'âge qu'a Rachael maintenant, lorsqu'il est parti pour l'école un matin et n'est jamais revenu. Il en était à sa dernière année du secondaire, avait hâte d'aller au collège et de connaître la vie à l'extérieur du cocon familial. Ma fille a maintenant dix-sept ans et toute sa vie devant elle. En ce moment, je comprends plus ma mère que Rachael ou Kevin.

J'ai déjà vécu cette phase alors que chacun de mes enfants atteignait cet âge fatidique. À dix-sept ans, ma fille Sara était une sportive, tout comme Kevin. Gardienne de but de soccer, elle s'était blessée à la main lors d'un match. Elle ne pouvait pas jouer, elle ne pouvait pas écrire, elle ne pouvait pas conduire. J'étais profondément consciente des similitudes entre notre vie à cette époque et notre vie il y a trente ans.

Kevin s'était cassé le genou lors d'un match de basket-ball et l'ardent sportif qu'il était a insisté pour terminer la partie. On a donc dû lui mettre toute la jambe dans le plâtre, ce qui fait qu'il ne pouvait pas conduire pour aller à l'école. Un ami a offert de l'y accompagner.

Ce matin de février, il pleuvait à boire debout. J'étais dans ma chambre pour ne pas être dans les jambes des autres. J'ai entendu la voix de ma mère qui critiquait le choix de veste de Kevin. Je l'ai entendu partir. Une demi-heure plus tard, ils ont annoncé à la radio qu'un accident de la route sur le chemin Friar avait fait un mort. Kevin n'est pas revenu à la maison. Et notre vie a changé pour tout jamais.

Alors que mes enfants grandissaient et commençaient à choisir leurs propres vêtements, je critiquais rarement leur tenue vestimentaire. Ça ne voulait pas dire que j'étais toujours d'accord avec leur choix, mais ça ne valait pas vraiment la peine de se disputer à ce sujet. Peut-être que je me rappelais la discussion au sujet d'une veste un certain matin. Je ne les ai pas non plus empêchés de sortir même si au fin fond de moi, je savais qu'il était possible qu'ils ne reviennent pas. Mais je prie chaque matin, chaque jour, et quelquefois toute la nuit, me semble-t-il, pour leur sécurité dans le monde à l'extérieur de la maison.

Ma mère est morte, mais elle est encore auprès de moi d'une façon que je n'aurais pas pu imaginer. Je sens un lien plus fort avec elle. Elle avait cinquante-six ans lorsqu'elle a perdu son plus jeune enfant, son seul garçon. J'ai cinquante ans maintenant et ma plus jeune a le même âge que mon frère lorsqu'il s'est tué. En faisant abstraction des contrariétés quotidiennes comme les querelles au sujet d'une veste, je vois ma mère d'un œil différent. Je sais qu'elle a dû ressentir ce que je ressens. Même si je n'entends plus sa voix, j'entends son cœur.

— *Therese Madden Rose*

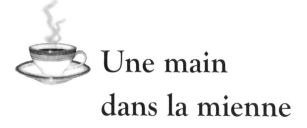

Une main
dans la mienne

Lorsque ma mère a adopté Cory, j'avais quatorze ans et j'étais habituée à voir ma mère amener des étrangers dans la famille. Il n'y avait rien d'officiel au sujet des adoptions de maman et les gens n'emménageaient pas chez nous ni ne renonçaient à leurs propres liens familiaux. De toutes les personnes que ma mère a adoptées, Cory était certainement la plus nécessiteuse et celle qui a fait partie de notre famille le plus longtemps. La plupart du temps, elle m'irritait et j'éprouvais un certain ressentiment à son égard. Mais, lorsqu'il le fallait, nous nous soutenions.

Cory était étudiante à l'école de Californie où ma mère travaillait. Nous ne nous ressemblions en rien. J'avais deux ans de plus qu'elle et avait cessé de grandir avant même d'avoir atteint cinq pieds. Cory était énorme ; elle mesurait près de six pieds et avait une carrure de camionneuse, peut-être même de chauffeur de camion Mack. J'aimais jouer du piano, lire, coudre et cuisiner. Cory aimait tout ce qui était physique et mécanique.

Le père de Cory ne supportait pas le fait que sa fille aînée Cory soit ce qui se rapprochait le plus du garçon tant désiré. La mère avait peur de son mari et passait son temps à s'occuper du ménage et des filles plus jeunes et plus féminines. Ma mère — à peine plus grande de taille que moi, mais avec une personnalité exceptionnelle et un cœur débordant de tendresse — a donné à Cory l'amour et le soutien qui lui manquaient à la maison. Cory venait nous voir souvent et elle parlait au téléphone avec ma mère pendant des heures.

Lorsque ma sœur et moi nous plaignions que Cory lui prenait du temps qu'elle aurait dû nous consacrer, ma mère répondait : « Elle a besoin de moi. »

Cory est devenue une hippie et a vécu dans différentes communes. Elle a fini par se fixer à un endroit situé à une distance de trois heures de route de sa mère qui était devenue veuve. Ma famille a déménagé en Idaho. La dernière fois que j'ai vu Cory, elle avait fait du pouce jusqu'en Idaho pour venir voir ma mère. Comme j'habitais à côté, ma mère m'a invitée à me joindre à elles. Nous n'avions toujours rien de commun et peu de choses à nous raconter. Il n'y avait toutefois plus de jalousie et nous avons passé une soirée agréable à parler du passé.

Ma mère a continué à me donner régulièrement des nouvelles de Cory. Vers la fin des années 80, j'ai été horrifiée d'apprendre que Cory avait été victime d'un accident industriel. Elle nettoyait les pièces d'automobiles dans une station-service et le propriétaire ne lui avait pas donné de gants en caoutchouc assez grands pour ses grosses mains. Avec ses mains nues, elle avait trempé les pièces sales dans une cuve contenant un produit chimique transparent. Elle avait su tout de suite qu'elle venait de faire une erreur grossière, mais il était trop tard. Le produit chimique était toxique et, en quelques années, il a presque détruit son foie.

Ma mère est allée en Californie et a passé de nombreuses journées à s'asseoir à ses côtés à l'hôpital. Par miracle, elle semblait se remettre. Mais elle était déprimée. Trois décennies s'étaient écoulées depuis ces années difficiles de l'adolescence et je considérais maintenant Cory comme faisant partie de la famille. Je vivais sur la côte est et venais de tout perdre dans un sinistre. Je voulais faire quelque chose pour Cory, mais j'étais moi-même déprimée et sans le sou et ne savais pas comment l'aider. Un soir, j'ai entendu un humoriste talentueux et très drôle et je me suis dit que je pourrais lui envoyer quelques cassettes de cet humoriste pour lui remonter le moral.

Peu de temps après l'arrivée des cassettes, Cory m'a appelée pour me dire à quel point elle les avait aimées. Nous avons bien bavardé, mais compte tenu du passé, nous n'avons pas promis de rester en contact.

Peu de temps après, le procès que j'avais entamé à la suite du sinistre a été instruit — et j'ai perdu. Je ne m'attendais pas à recevoir la totalité des dommages-intérêts demandés, mais mon avocat m'avait assuré que ma cause était bonne et que j'obtiendrais sûrement quelque chose pour me permettre de rebâtir ma vie. Je n'ai rien eu du tout. J'étais abattue. En plus de la perte financière, j'avais l'impression d'avoir été flouée par le système juridique et j'avais perdu toute confiance en la justice et en l'humanité.

C'est à ce moment que Cory m'a appelée. Juste le fait qu'elle ait pensé à moi et qu'elle ait fait l'effort de prendre le téléphone et de m'appeler m'a surprise. Mais c'est surtout l'amour que j'ai senti dans sa voix qui m'a réellement touchée. Pour la première fois, elle montrait les sentiments profonds cachés dans son cœur. Elle m'a fait part des leçons spirituelles qu'elle avait apprises au cours de sa souffrance et elle m'a dit que lorsqu'elle était déprimée, elle écoutait les cassettes que je lui avais envoyées.

Elle m'a avoué que le fait de penser que je m'intéressais assez à elle alors que j'avais mes propres problèmes lui avait remonté le moral.

Alors que notre conversation tirait à sa fin, Cory m'a dit : « Jeunes, nous n'étions pas des amies, mais tu ne m'as jamais fait sentir que j'étais de trop, même si je prenais beaucoup du temps de ta mère. Cela m'a beaucoup touchée à l'époque et ça me touche beaucoup aujourd'hui.

« Lorsqu'on manque mourir comme ça m'est arrivé, on se rend compte que la seule chose qui compte, c'est l'amour, a-t-elle continué, et toi Hanna, tu es sur ma liste d'amour. »

Cory est morte dix jours plus tard d'insuffisance hépatique. Lors de notre dernière conversation, lorsqu'elle m'a tendu la main et m'a tirée du fond du désespoir, elle s'est taillée une place spéciale dans mon cœur. C'était une place réservée à la famille, dotée d'un coussin tapissé de soie provenant d'années de sollicitude, que ni l'une ni l'autre d'entre nous n'avions remarquée jusqu'à la fin.

— *Hanna Bandes Geshelin*

Un bon investissement

« Je préférerais consacrer cet argent à l'achat d'une maison. »

Jamais neuf mots n'ont donné lieu à une discussion aussi vive entre mon fiancé et moi. Nous étions deux adultes attablés dans la cuisine, en train de parler mariage, lorsque ses mots me ramenèrent à une époque lointaine. Soudainement, je me retrouvais à l'école primaire, à l'école secondaire et au collège, à l'époque où les rêves d'une jeune fille idéaliste l'aidaient à échapper à la monotonie de l'existence.

Pour moi, me marier voulait automatiquement dire célébrer son mariage. Je n'étais pas prête à discuter d'un rêve que je caressais depuis que j'avais appris à me brosser les dents. Et c'était évident.

« Si je dois mourir sans cérémonie de mariage, alors je mourrai célibataire. » Oh, là, là. Je n'avais jamais su jusqu'à ce moment à quel point j'y tenais. J'avais sûrement atteint l'âge où l'on est capable de différencier les rêves de l'enfance des besoins fondamentaux. Étais-je prête à renoncer à l'homme que j'aimais pour la façon dont nous passerions une seule journée ? Et c'est alors que je commençai à comprendre ce que mon fantasme de l'enfance signifiait chez l'adulte que j'étais devenue.

Je comprenais bien que le jour où nous liions nos destinées pour toujours n'était pas simplement une question de la façon dont nous allions passer ces cinq ou six heures. Ce n'est pas ce que nous allons porter ou manger, ni le lieu où se tiendra la cérémonie ni la chanson qui inaugurera la danse. Et l'argent que nous allons dépenser ne sera pas la mesure de l'importance de cette journée.

Toute future mariée de plus de trente ans sait probablement déjà qu'il y a une différence entre la vie qu'elle imaginait et la vie réelle. Chose étrange, je crois fermement maintenant que le mariage est davantage relié aux réalités d'adultes qu'à des rêves d'enfant.

Après avoir vécu avec David pendant un an et demi, je savais que l'homme idéal n'existe pas. Il arrive à David de se montrer grincheux. Nous n'avons pas du tout la même définition d'une maison propre. Il n'est pas de bonne humeur le matin. Mais rien n'égale le sentiment de bien-être qui m'envahit lorsqu'il m'appelle au bureau pour discuter de ce que nous allons faire pour dîner. J'ai l'intention de goûter à ce bien-être pour le restant de mes jours. Ce ne sera peut-être pas toujours aussi excitant, mais ce sera réel.

Et avec la réalité, viennent les disputes — des disputes qui envoient quelquefois l'autre au tapis, qui entraînent sa perte par entraînement, des disputes où on plisse les yeux et serre les lèvres. Mes deux sœurs et une de mes amies sont déjà divorcées. Aussi idyllique et pleine d'espoir qu'ait été la cérémonie de mariage, leur expérience m'a prouvé que dans un mariage, les choses peuvent changer de façon à secouer un rêveur. Je n'ai pas besoin d'entendre parler d'un autre divorce pour savoir que le mariage est une relation difficile.

Ce dont j'ai besoin, c'est d'une église pleine de gens qui seraient témoins de notre bonheur alors que nous prononçons nos vœux. Ils ont été témoins des autres jours de notre vie ; le jour où on m'a posé un appareil orthodontique ; le jour où David est parti faire de la randonnée en Europe ; le jour où j'ai décroché mon premier emploi de professionnelle après le collège. Ces gens nous ont aimés, enseignés, soutenus et divertis. Ils ont façonné chaque souvenir que nous avons et nous ont aidés à devenir les personnes que nous étions lorsque David et moi nous sommes rencontrés.

Alors, lorsque je promettrai de l'épouser pour le meilleur et pour le pire, je veux que ces gens m'entendent. Le jour viendra où j'aurai besoin d'un petit rappel.

Je veux que notre mariage soit la célébration qui met fin à toutes les autres célébrations pour nous. Je veux danser avec mon père et avec le mari de ma mère. Je veux que ma mère me guide vers l'autel, tout comme elle m'a guidée lors de chaque étape de ma vie. Je veux que David et moi puissions nous rappeler cette journée magique, où nos cœurs seront pleins d'anticipation et de joie. Je veux avoir des photos à montrer à nos enfants, pour qu'ils voient l'amour de leurs parents et que ça les aide à caresser des rêves qui leur sont propres.

David accepta finalement. Nous achèterons la maison plus tard. Pour le moment, je préfère investir dans une fondation, le ciment qui sera de temps à autre plus fort que nous.

— *Julie Clark Robinson*

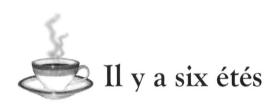 # Il y a six étés

Il y a six étés, ma mère, mes sœurs et moi nous sommes nourries de cornichons sucrés et de pommes Granny Smith. Ma mère ne cessait de nous chanter l'importance des pommes, de l'alimentation pour le cerveau, selon elle. Pour moi, à l'époque, l'été signifiait la récréation — trois mois magnifiques pendant lesquels je faisais la roue au soleil, me gavais de cornichons sucrés et nourrissais mon cerveau de Granny Smith, inconsciente des changements qui se produisaient dans mon corps et à l'intérieur de moi. En ce sixième été de journées sans souci, je ne me suis jamais arrêtée une fois pour penser au passé ou à l'avenir. Je me précipitais droit vers l'adolescence tout en me prélassant dans mon bonheur naïf. Lorsque j'y repense, je souhaite parfois retourner, ne serait-ce que pour quelques instants, à cet été insouciant d'il y a six ans.

À cause de la chaleur accablante, nous étions tout le temps en costume de bain. Bien qu'aux nouvelles (selon maman), on recommanda de ne pas rester au soleil parce que ses rayons UV nocifs finiraient par nous carboniser et nous ratatiner comme du bacon, nous savions comment nous protéger. Maman avait acheté de grandes quantités de lotion solaire qu'elle essayait d'étendre sur mon dos, comme les onze étés précédents, alors que je n'avais aucune intention de continuer à la laisser faire. Je réussissais d'habitude à détourner son attaque à la crème solaire en dégoisant et en lui montrant que j'en avais déjà mis généreusement et que c'était assez. Je me précipitais ensuite à la salle de bain et essuyais la lotion graisseuse de ma peau livide et appliquais sur toute ma peau, de la tête aux orteils, de l'huile pour bébé encore plus grasse. J'étais résolue à bronzer dès la première journée de la septième année, même si cela voulait dire être couverte d'ampoules et de cicatrices roses. Il y a six étés, je me sentais à l'abri des rayons UV mortels et de la nécessité de FPS 30, 25 ou 15.

Cet été, notre vente de garage annuelle d'une semaine nous rapporta gros. Mes sœurs et moi étions caissières à tour de rôle, nous tenant, grandes et maigres, à l'arrière de la boîte à chaussures Nike/ tiroir-caisse. J'étais fière d'être capable de chercher dans les billets de dix et de vingt, en comptant à voix haute et en affichant un petit sourire satisfait alors que je redonnais le change et répétais scrupuleusement « Merci beaucoup et bonne journée » tandis que les clients me regardaient en souriant et que mes sœurs crevaient d'envie. Mes sœurs, toutes les deux plus jeunes que moi, me considéraient comme leur mentor de vente de garage ; l'été prochain, elles pourraient peut-être distribuer l'argent comme un croupier au blackjack.

Mais c'était ma mère qui était incontestablement la reine-abeille de notre vente de garage. Toutes les deux heures, elle entrait dans la maison et en ressortait avec des piles de vieux souliers de tennis, des cintres débordant de vêtements usés et des meubles abîmés en provenance du sous-sol. Elle peinait pour sortir chaises, tables, stéréos, livres et nombre d'autres objets délaissés. Je me tournais vertueusement vers mes sœurs et leur donnais l'ordre d'aller aider maman avant qu'elle se donne un tour de dos. Elles courbaient la tête en signe d'obéissance et allaient l'aider tandis que je rendais la monnaie d'un billet de cinquante dollars.

Il y a six étés, au dernier dimanche de notre vente, ma mère était épuisée. Elle s'était débarrassée de presque chaque article qu'on n'utilisait plus et qui était oublié dans nos placards, armoires, sous-sol et différents recoins de la maison. C'est alors que le drame arriva. Je me souviens clairement, comme si c'était hier, de ma poupée Barbie préférée. Même si je n'y avais pas touchée depuis des années et que je ne jouerais jamais plus avec, j'avais toujours tenu pour acquis qu'elle serait toujours là. Ma mère était en train de remettre la Barbie à une fillette qui mâchait de la gomme et qui se contenterait de jeter cette poupée dans son tas de poupées Barbie achetées à une vente de garage. Je m'excusai de mon poste au comptoir de caisse-table plateau en annonçant sèchement à ma mère que si elle voulait vendre mes Barbie chéries, il ne fallait pas qu'elle compte sur moi pour lui servir de préposée à la caisse.

Mes sœurs et moi décidâmes que le moment était venu de mettre fin à la vente de garage. Nous expliquâmes à maman que c'était dimanche, que nous avions fait beaucoup d'argent et qu'il ne restait pratiquement plus rien à vendre. C'est alors que ma mère décida de faire le grand plongeon. Nous l'entendîmes aller de la cuisine à l'étage, jusqu'à sa chambre. Alors qu'elle vidait avec grand fracas ses placards, mes sœurs et moi nous assurions qu'il n'y avait pas de trou dans le plafond, craignant qu'elle ne tombe sur nous. Cinq minutes plus tard, elle redescendait les marches, manquant presque tomber, les bras chargés de souvenirs d'enfance qu'elle avait conservés fidèlement, dont son précieux fragment de culture américaine, son amour adoré : son Elvis en velours. Nous nous tenions en silence devant notre mère rendue folle par les ventes de garage alors que se déroulait devant nous une scène incroyable.

« Il y a trop de choses dans cette maison. Il est temps de faire de l'espace pour de plus belles et de plus grandes choses », nous déclara-t-elle en passant en trombe devant nous, en route vers le garage. « Si j'ai été capable de vendre ta Barbie, je peux…. »

Elle marqua un temps d'arrêt et afficha son plus grand, plus chaleureux sourire de mère qui comprend ce que je ressens.

« Je veux dire….ce n'est qu'un vieux tableau. Il ne vaut pas grand-chose. Une dernière vente et c'est fini les filles. »

Nous fîmes un signe affirmatif de la tête comme des robots. Nous n'allions pas nous mettre en travers de son chemin pour tout l'or du monde.

« Pourquoi me regardez-vous comme si j'étais folle ? Il faut aller vers de plus grandes, de meilleures choses. Ne l'oubliez pas les filles. »

Mais oui maman, sauf que Elvis est le roi du rock and roll. Elvis est ton héros.

Il y a six étés, mon père nous avait fait la charmante surprise d'installer une piscine, c'était une piscine hors terre d'occasion qu'il avait achetée à un gars qui habitait à l'autre bout de la ville. Papa posa les fondations, versa le gravier, acheta une couverture solaire et de très grandes quantités de chlore. Nous couvrîmes papa de baisers pour le remercier d'avoir fait cadeau à ses filles, ce qui incluait bien entendu maman, d'une piscine dans notre propre cour.

Alors que papa travaillait d'arrache-pied du lundi au vendredi, mes sœurs et moi nous baignions dans l'eau sacrée de notre piscine. Maman nous préparait du thé glacé spécial, le seul qui valait la peine d'être bu, son ingrédient secret caché au plus profond de son livre de recettes recouvert de guingan. Le bord de la piscine nous servait d'endroit où dormir, de coin de lecture et de scène où celle d'entre nous qui avait le plus de talent osait entonner des chansons de Boyz II Men devant notre auditoire rempli d'adoration : notre mère qui récompensait notre interprétation fausse par une ovation.

Vers la mi-août, les météorologues nous autorisaient à sortir au soleil, en autant qu'on mette de la lotion FPS 30. Maman commençait à nous rappeler que l'été tirait à sa fin.

« Profitez-en pendant qu'il est encore temps les filles. L'été est PRESQUE fini. »

Nous nous intéressions déjà à nos vêtements de la rentrée scolaire et aux feuilletons du matin, ayant eu assez de soleil, d'escapades à la piscine, de cornichons sucrés et de pommes Granny Smith en juin et en juillet. Dans l'intervalle, je suivais à la lettre les conseils de beauté de ma revue pour adolescentes enthousiastes ; la mode en matière de chevelure m'amena à demander à maman de me faire couper les cheveux. Je ne voulais plus aller chez Kmart maintenant que j'avais découvert la magie des centres commerciaux. Je ne comprenais pas pourquoi maman n'arrivait pas à comprendre que les jeans délavés à l'acide n'étaient plus à la mode. J'étais prête pour la septième année, pour jouer au soccer, pour aller au concert avec mes amies et pour embrasser un garçon.

Au cours des dernières journées de détente de cet été d'il y a six ans, il m'arrivait, de temps à autre, de me hasarder à l'extérieur, plissant les yeux pour que les rayons ardents du soleil ne me transpercent pas les yeux alors que je vérifiais si les raisins avaient mûri. Du moins, c'est ce que je racontais à maman. En fait, j'épiais le garçon au sourire engageant et au rire cristallin qui attachait les vignes dans les champs à l'arrière de la maison. Ma revue pour adolescentes enthousiastes me recommandait de faire le premier pas et m'affirmait que les garçons préfèrent les filles entreprenantes. Pendant tout un mois, je rassemblai mon courage pour trouver un moyen de l'aborder, mais il finit d'attacher les vignes et il partit, m'abandonnant à ma déception de préadolescente.

Même si le soleil nous réchauffait le dos, chassant la fraîcheur de l'automne, j'étais convaincue que pour moi, l'été était fini. J'avais laissé et l'été et mon enfance derrière moi et j'étais prête à me transformer en adulte avec les feuilles d'automne. Maman ne nous avait-t-elle pas recommandé de passer à des choses plus grandes et meilleures ? N'avait-elle pas vendu son Elvis en velours pour aller de l'avant ? N'avais-je pas vendu mon enfance à l'été, à commencer par ma Barbie préférée, pour que je puisse aller de l'avant ?

Six étés plus tard, je réfléchis aux pas vers l'avant que mes sœurs et moi et même nos parents avons faits. Je me rends compte que les choses meilleures et plus grandes n'existent pas. Qui nous sommes et ce que nous avons suffit, et c'est souvent mieux que nous nous en rendions compte ; les choses étaient bien il y a six étés, elles sont bien maintenant et seront bien à tout moment de notre vie.

Il y a six étés, avec l'innocence d'une jeune fille de douze ans, je ne me remettais pas en question et je ne remettais pas le monde autour de moi en question. C'était juste un autre été et j'en acceptais les cadeaux de cornichons sucrés et de pommes Granny Smith, le thé glacé de maman et la piscine de papa. Pas une fois je n'ai pensé qu'il avait dû travailler fort pour l'acheter et l'installer lui-même afin que ses filles puissent trouver un havre humide pour se rafraîchir dans le soleil de l'été. Alors que l'été s'achève, je me rue vers l'âge adulte, décidée à grandir, inconsciente que le processus a déjà commencé lorsque j'ai dû rester à mon poste de préposée à la caisse à la vente de garage. Ce n'est que plus tard, tout dernièrement en fait, que j'ai compris que ce dernier dimanche de notre vente de garage il y a six ans, ma mère a vendu son Elvis en velours, pas pour passer à des choses plus grandes et meilleures, mais pour atténuer la douleur de la crise de croissance de sa fille lorsqu'elle a vendu sa Barbie préférée.

Il y a six étés, le soleil m'a brûlé les épaules, mais aucune marque de coup de soleil ne marque la transition vers des choses meilleures et plus grandes au cours de ce dernier été de mon enfance. Tout ce qui reste sont des souvenirs de la meilleure et de la plus grande chose de tout… l'amour.

— *Heidi Kurpiela*

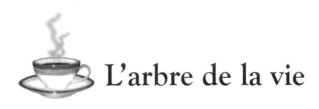 L'arbre de la vie

J e ne sais pas quand j'ai commencé à aimer les arbres et à y grimper. Je suis peut-être née avec cette forte envie, tout comme mon père avant moi et mon fils après moi.

Enfants, ma cousine Wanda et moi passions pendant l'été de nombreuses semaines à nous prélasser au chalet de sa famille à Grand Marais, au Minnesota. Le chalet était très rudimentaire : fait de carton blanchi et de bois, aux meubles et à la literie démodés et mal assortis ; avec une cuvette et un puits pour se laver ; une bécosse dans le coin le plus reculé du terrain. Le chalet était doté de lits superposés où nous ne dormions que lorsque la chose était absolument nécessaire.

La magie de l'endroit se trouvait à l'extérieur des murs du chalet, à la plage. J'adorais l'eau, les vagues, le sable et le soleil, et j'adorais surtout les arbres. Mon arbre, Christopher, était blotti derrière les dunes sableuses, dans un monde secret qui embrasait l'imagination de la petite fille de neuf ans que j'étais. Wanda avait elle aussi son arbre, qui était selon nous le frère biologique du mien. Son arbre s'appelait Christine. Tout comme l'arbre frère et l'arbre sœur avaient grandi côte à côte, leurs branches entremêlées mais leur tronc unique, Wanda et moi grandîmes comme des sœurs. Les mêmes choses nous faisaient plaisir et nous apprîmes à connaître nos différences tout en jouissant du réconfort d'être enracinées dans l'amour que nous nous portions.

Nous passâmes des heures, perdues dans notre monde arboricole. Je ne me souviens pas d'avoir jamais dû partager mon arbre avec quelqu'un. J'en arrivai à croire que si les arbres pouvaient appartenir à une personne, alors Christopher m'appartenait. Mes muscles se souvenaient de l'emplacement exact de ses branches et ma peau connaissait les nombreux nœuds de son tronc. En trente secondes, j'étais capable de grimper à mon emplacement préféré alors que les tendres branches frôlaient ma peau, comme les caresses d'un bon ami. Perchée à la moitié de la hauteur de Christopher, je sentais que je ne faisais qu'un avec l'arbre et que la vie résidait dans l'arbre. Comme un moineau, cachée parmi les feuilles, j'avais une vue aérienne des dunes en pente dans toutes les directions et je me sentais plus libre et plus vivante que lorsque mes pieds touchaient la terre.

Quelques années plus tard, un autre arbre entra dans ma vie lorsque ma classe de cinquième année fit une sortie éducative à Sandilands Forest. Nous reçûmes chacun un jeune plant à ramener chez nous. Je me revois fouillant le garage à la recherche d'une pelle,

creusant un trou dans notre cour arrière, plaçant doucement la racine du brin vert épineux dans la terre. Je
baptisai le bébé arbre vert à feuilles persistantes avec
de l'eau et de la tendresse et lui donnai le nom de
Christopher. Il n'y avait que ce nom dans mon esprit
d'enfant.

De nombreuses années plus tard, je ne pensais plus
à mes arbres baptisés Christopher. Mon mari John et
moi étions absorbés par la naissance imminente de
notre premier enfant. J'accouchai de ce premier bébé
par césarienne. Alors que j'étais encore engourdie du
milieu du sternum jusqu'au bas et que j'avais l'impression d'avoir du sable sec plein la bouche et la gorge, on
me montra mon nouveau-né. Ses yeux louchaient et le
dessus de son crâne était aplati, faisant ressembler sa
tête à un triangle joufflu. Je n'en revenais pas que cet
être humain entièrement formé ait pu sortir de mon
corps. J'étais enivrée par sa beauté frêle et imparfaite.

Pendant que les médecins me recousaient, le bébé
fut emmené à la pouponnière. Instinctivement, mon
mari suivit le bébé, me laissant à mon engourdisse-
ment et à mes pensées. Je cherchais un nom approprié
pour mon petit garçon. À qui ressemblait-il ? Sûrement
pas à un Andrew ni à un Carl, les noms que j'avais mis
en tête de la liste de noms négociés. Un nom me vint
alors à l'idée. Il figurait au bas de la liste, mais il me
sembla lui aller comme un gant.

Entre-temps, à la pouponnière, John observait et
chantonnait alors qu'on lavait le bébé à l'éponge, le
pesait, le mesurait et l'emmaillotait. Presque instinctivement, il commença à appeler l'enfant par son nom.

Peu de temps après, alors que nous étions tous les trois dans ma chambre, il s'approcha de moi avec nervosité.

« Je sais que nous n'avons pas encore décidé du nom que nous lui donnerions, me dit-il, mais je dois confesser que j'ai commencé à l'appeler Christopher. » C'est à ce moment que je sentis que nos âmes avaient communiqué : celle de John, la mienne, celle de Christopher et le Grand Esprit, parce que c'était le nom qui m'était apparu.

Quelques jours plus tard, je reçus la visite de ma cousine Wanda. Elle entra dans ma chambre d'hôpital en souriant et me dit : « Je suis surprise que tu fasses porter à ton fils le nom d'un arbre. »

Et c'est à ce moment que tout me revint. Comment avais-je pu oublier ces magnifiques journées avec Wanda, Christopher et Christine ? L'univers avait pris position. Et c'est ainsi que mon fils âme sœur porte le même nom que les deux autres âmes sœurs de ma vie : Christopher le peuplier et Christopher l'épinette.

— *Hedy Wiktorowicz Heppenstall*

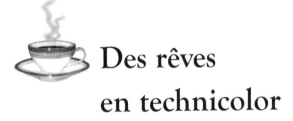

Des rêves
en technicolor

J'ai toujours rêvé en technicolor. Plutôt que les rêves ordinaires sombres et ternes ou les rêves à la lumière aveuglante, mes rêves étaient des explosions de couleur très nettes.

Je me demande d'ailleurs si c'est dans les gènes.

Mon arrière-grand-mère Bongie avait elle aussi des rêves de pionnière, qui ont fait déménager sa famille de Paoli, en Indiana, aux prairies du Kansas, où ses parents se sont enracinés. Leurs chariots transportaient des rêves et des espérances, et les outils pour les réaliser, alors qu'au loin, une guerre bleue et grise faisait rage, répandant du rouge sur le champ et la pierre.

Dans ses rêves, est-ce que Bongie voyait de la couleur ?

J'ai une photo de Bongie et de mon arrière-grand-père, assis devant la baraque qui était leur propriété familiale à Caldwell, en Idaho. Derrière eux, le vaste ciel bistre et la terre brune et sèche semblent s'étendre à l'infini. Ils passent leur sabbat à lire le journal et à faire du bricolage. Bongie porte des lunettes perchées sur le bout du nez et sa chevelure grise épaisse est ramassée en chignon. Elle venait de Paoli, cette enseignante aux enfants kiowa et aux enfants d'anciens esclaves, mère de quatre enfants, fileuse de lin et conteuse. Lorsque l'une de ses filles avait voulu aller à Paris pour vivre au bord de la Seine et peindre, cette femme d'un puritanisme victorien, qui avait rencontré Abe Lincoln avant qu'il ne quitte son État d'origine pour devenir président, lui avait opposé un non catégorique. Mais elle avait soutenu cette même fille lorsqu'elle avait pris son appareil photo Brownie pour photographier les Cheyennes et les Comanches en noir et blanc, développant la pellicule dans sa chambre noire.

Certains rêves changent, mais pas leurs couleurs.

Ma Nana, une autre des filles de Bongie, rêvait de retrouver les traces de ses ancêtres puritains en Nouvelle-Angleterre. Après avoir fréquenté l'école de commerce, elle s'est mariée et a suivi, avec son comptable de mari, le chemin de fer qui traversait l'Ouest, c'est-à-dire l'Oklahoma, le Nouveau-Mexique et l'Idaho avant qu'ils deviennent des États. Elle a tout vu : des villes d'élevage du bétail, des villes minières, de petites villes en bordure de nulle part.

Tandis que mon grand-père consolidait sa carrière, ma grand-mère faisait ses propres vêtements, jouait de la guitare classique et s'occupait de ses trois fils. Une fois, ils sont restés assez longtemps au même endroit pour que les garçons puissent se joindre à l'équipe de football d'une école de sourds, étant les seuls joueurs qui entendaient dans l'équipe. Ils écoutaient le jeu de l'autre équipe et le révélaient à leurs coéquipiers en langage gestuel. Ils gagnaient toujours. Au cours de la Première Guerre mondiale, ils s'engagèrent comme simples soldats. Puis, à quarante ans, Nana a donné naissance à ma mère et s'est fixée à Boise, Idaho, pour les cinquante-neuf prochaines années.

J'adorais ma nana et le toucher moelleux de sa joue contre la mienne. J'adorais le son de sa voix avec son inflexion mélodieuse de l'Ouest.

Elle avait rêvé de ma mère. Avait-elle rêvé de moi ?

Sur le miroir de ma chambre, j'ai collé une photo en noir et blanc de ma mère. Elle est assise sur une clôture en lisse au ranch de son oncle, situé au nord de Boise, où elle a passé un été à rassembler les dindons en troupeau, assise sur son cheval. Les terrains herbeux ondulés à l'arrière-plan sont secs et sont presque dénués d'arbres. Elle porte des bottes de bûcheron lacées jusqu'au genou et un chapeau à bords flottants. Elle regarde la caméra et sourit — un sourire cordial et engageant, le sourire qui a été depuis toujours mon baume contre la souffrance et l'inquiétude. Sur la photo, c'est une jolie jeune femme aux cheveux châtains.

Elle se demandait peut-être si elle n'irait pas se plonger dans l'eau de la source thermale pour enlever la poussière qui la recouvrait. Ou elle pensait peut-être aux garçons de la « CCC » dans le camp en bordure de la crique. Leur réveil très matinal annonce aussi l'heure de se lever pour les autres et leurs particularités de gens de l'est en font des étrangers lorsqu'ils visitent le magasin de campagne de sa tante. L'un d'entre eux voulait devenir musicien, mais les temps étaient durs.

Ma mère avait des rêves se rapportant aux touches du piano, des rêves de Schubert-Chopin qui l'ont amenée des ravins secs et chauds du sud-ouest de l'Idaho au campus luxuriant de l'université du Michigan à Ann Arbor, où elle a étudié sous la direction des meilleurs professeurs. Elle portait les vêtements que Nana lui avait faits et qui étaient aussi beaux que ceux de n'importe quel couturier. Elle a fait la connaissance de mon scientifique de père à la résidence universitaire, en mangeant des biscuits.

La Deuxième Guerre mondiale a mis fin à ses rêves de musique-conservatoire en Suisse et de concerts sur la scène. Et ils se sont évanouis par la vie dans la ville chaude et humide de Washington, D.C., alors que mes frères et moi nous déchaînions dans l'escalier.

Mais elle ne renonçait pas à ses rêves et les couleurs ne s'en altéraient pas.

Je conserve un merveilleux souvenir. Nous avons déménagé à Pittsburgh. Je suis étendue sur mon lit. La porte est fermée et la chambre est sombre, mais j'entends le bruit du piano Baldwin de ma mère en bas. Un violon et un violoncelle l'accompagnent. Les autres musiciens sont des scientifiques et ils jouent le *Trout Quintet* de Schubert. Je suis très jeune. Je pense aux poissons et aux étangs profonds pendant que les riches sons de la musique résonnent.

La musique m'a soutenue toute ma vie. La musique deviendra des mots. Et quarante ans plus tard, ma mère verra son rêve se réaliser dans les ateliers de musique de Salzburg, d'Oxford et dans les montagnes du Tyrol.

Un autre souvenir me revient. J'ai quatre ans et je regarde d'un air rêveur un bocal à poissons. Mon nez est collé sur le bord et mes cheveux sont aussi blonds et fins que la barbe d'un épi de maïs. Je suis si jeune que je ne vois pas l'orientation que prendra ma vie, que je n'ai pas encore de rêves. Au fil des ans, il y aura de faux départs et des impasses.

Puis, à seize ans, je prendrai la guitare classique de ma grand-mère et obtiendrai un A en français grâce à ma chanson. J'irai en France et me promènerai le long de la Seine. J'écrirai des chansons folkloriques et rencontrerai l'homme de mes rêves sur les sables de Waikiki. J'aurai trois garçons et je vivrai dans l'Ouest.

Maintenant, je rêve de devenir un auteur qui se fait publier et d'enseigner l'histoire. Et ces rêves sont si impérieux qu'un enfant dirait : Génial !

Ces rêves en technicolor sont les rêves de mes grands-mères et de ma mère. Ils se fondent tous. Et leurs couleurs ne se dégradent pas.

— *Janet Oakley*

 Laura : mon amie
du mouvement
pour la vie

Marchant dans l'air vif du matin, je ressens une fois de plus le pouvoir de l'amitié. On est dimanche matin, c'est notre temps à nous, mon amie pour la vie et moi. Nous n'avons pas marché ensemble depuis des semaines puisque nous étions toutes les deux à l'extérieur de la ville. Nous sommes fidèles à ce rituel ; il est tout aussi important à nos yeux que respirer ou faire la sieste. Nous avons beaucoup à nous dire, des histoires à nous raconter, des aventures à partager. Mais ce ne sont pas vraiment les mots qui comptent, juste le fait d'être ensemble et de bouger. Nous savons que ce que nous avons est précieux et, comme toujours, nous le montrons de façon expansive quand nous nous rencontrons. Nous tombons brièvement dans les bras l'une de l'autre.

Depuis plus de vingt ans, nous marchons à grands pas côte à côte, quel que soit le temps ou les problèmes familiaux. Laura m'a « découvert » une journée alors que je retournais chez moi après être allée courir et elle a fait de moi sa partenaire de jogging. Je lui ai tout de suite avoué qu'en dépit de mes mollets bien musclés, qui est ce qu'elle a remarqué chez moi en premier, je suis plutôt une coureuse de sprint, par beau temps. Elle n'a pas bronché et m'a dit qu'elle augmenterait en un rien de temps la distance que j'étais capable de parcourir. Qui était cette femme si déterminée à m'entraîner sur la route avec elle ? Elle avait raison. En dépit de moi-même, j'ai bientôt été capable de faire avec elle cinq milles, trois fois par semaine. J'ai toujours détesté courir et je ne le faisais que pour être capable de manger ce que je voulais et rester en forme. Avec Laura, j'oubliais que j'étais en train de courir. Nous bavardions tout le temps, sans rien nous cacher. Nous riions à haute voix et sommes devenues amies.

Au début, je ne crois pas que nous pensions beaucoup à notre routine de course ou à notre amitié. Nous étions beaucoup trop préoccupées par nos jeunes enfants, nous demandant s'ils feraient l'apprentissage de la propreté avant la maternelle ou nous plaignant de nos maris, ces hommes trop pris par leur vie pour prêter attention à la nôtre.

Nous avons eu notre premier enfant sur le tard, alors que nous étions dans la trentaine. Et le bébé, un garçon, est né par césarienne. Nous croyions notre jeunesse et notre santé éternelles.

Les années ont passé. Laura a eu un deuxième bébé, un garçon, et peu de temps après, j'en ai eu un moi aussi. Outre le fait d'être mères de fils, nous avions beaucoup d'autres choses en commun. Nous avons continué de courir, nous confiant nos secrets les plus profonds. Carburant à l'adrénaline, nous ne nous cachions rien et nous étions réceptives aux conseils de l'autre. Les conseils de Laura étaient nombreux et toujours utiles. En courant, nous nous sommes raconté une presque liaison ou deux, les disputes conjugales occasionnelles, les changements de poste et les drames des enfants. Nous avons couru par des soirées sombres et mouillées ou des après-midi ensoleillés, adaptant notre tenue à la saison, adaptant les journées et les heures à notre emploi du temps, mais courant toujours et bavardant.

Laura est mon amie du mouvement. Lorsqu'une blessure l'a empêchée de courir, nous avons fait de la bicyclette pendant un certain temps. Nous avons, à quelques reprises, frisé la mort parce que nous avions mal évalué la distance des véhicules venant en sens inverse et les routes glissantes sous la pluie battante. La bicyclette mettait un frein à nos conversations, mais ça n'a été que temporaire. Nous avions une grande capacité d'adaptation.

Nous sommes revenues en peu de temps à notre vieille routine de jogging. Une fois, nous étions tellement absorbées par notre conversation que nous n'avons pas entendu l'homme qui arrivait derrière nous. Il faisait sombre et il ventait et nous étions très près l'une de l'autre, oublieuses du monde qui nous entourait. Lorsque nous avons entendu la respiration bruyante juste à côté de nous, nous avons crié et nous sommes empoignées et avons fait une peur bleue au pauvre coureur qui avait eu l'audace de murmurer « coureur à gauche » et de nous tirer de notre rêverie. Lorsqu'il est passé, à moitié mort de peur, nous avons ri aux éclats à la puissance de nos cris. Nous étions invincibles. Nous pouvions tout affronter.

Je me suis ensuite mise au soccer et, pendant quatre ans, j'ai commencé le processus grisant de ruiner mon corps. J'ai fini par abandonner la course. Nous avons essayé de prendre le thé ensemble, mais ça n'a pas marché. Laura ne pouvait pas — ou ne voulait pas — demeurer tranquille. Je pensais que ce serait la fin de notre amitié. Mais nous avons fini par décider d'essayer la marche et c'est ainsi qu'ont commencé nos rendez-vous du dimanche.

Nous avons trouvé un itinéraire qui nous satisfaisait toutes les deux, avec assez de collines pour présenter un défi et assez peu de circulation pour ne pas être distraites. Nous avons continué à bouger et à parler vite, nous précipitant pour descendre la pente jusqu'au bord de l'eau, le long des battures et remontant en soufflant comme un bœuf. Nous avons continué à partager les tribulations et les joies de notre situation de mère à notre façon pressée et voilée. Nous insérions les marches dans notre journée, tout comme le jogging avant, entre les tâches réelles de la vie ; notre emploi et notre famille surtout.

Nous avons eu quelques mésaventures, notamment la fois où nous avons vu un homme nu pratiquant le yoga à sa façon. Ou encore la journée où nous avons croisé un homme qui faisait du jogging et qui était tellement beau que nous nous sommes retournées pour regarder son arrière-train et avons découvert que ce dernier était nu sous sa longue chemise de course. Nous étions transportées et l'avons cherché pendant des semaines, espérant l'apercevoir de nouveau ; nous avons fini par nous demander si nous ne l'avions pas tout simplement imaginé.

Un jour, j'ai eu le cancer et tout a changé. Au début, je ne voulais pas voir Laura parce que je ne pensais pas être en mesure de faire face à sa réaction. C'est une femme très émotive — nous nous ressemblons à cet égard — et je savais qu'elle aurait de la difficulté à accepter la nouvelle. Il y a quelques années, elle avait été plus affectée que moi par ma fausse couche. Sa mère venait de mourir du cancer, et cette maladie l'avait profondément marquée. J'ai refusé de la voir jusqu'à ce qu'elle me promette de ne pas craquer. Elle est venue me voir et c'était étrange d'être assises toutes les deux dans mon salon, essayant de faire preuve de désinvolture à l'égard de cette tumeur qui avait grossi entre nous. Lorsque j'ai été incapable de supporter son sourire peiné, je me suis laissée fléchir, exaspérée, en lui disant : « Laisse-toi donc aller ». Elle s'est laissée aller et nous avons pleuré et ri et pleuré encore, nous laissant aller à l'émotion refoulée.

Et nous avons ensuite fait ce que nous faisions le mieux. Nous avons bougé. Nous avons continué de marcher au cours des mois de chimiothérapie et de radiothérapie. Je ne pouvais plus escalader les collines, mais chaque dimanche, j'allais avec elle en voiture jusqu'au bord de l'eau afin que nous puissions marcher le long des battures. Nous avons lutté, bras dessus bras dessous, déterminées et effrayées. Elle s'assurait toujours que ma tête chauve soit emmitouflée contre le froid de l'hiver. Je la taquinais à ce sujet, mais j'aimais la façon dont elle s'occupait de moi. Elle m'a dit qu'un jour, en parlant de cette période, on la considérerait comme une anomalie passagère dans le grand ordre de l'univers. Je lui ai dit que non, qu'il s'agissait d'une chose importante qui nous avait changées pour toujours. À contrecœur, elle a acquiescé et a retiré ses mots naïfs de réconfort. Nous croisions parfois des amis qui me disaient que j'avais bonne mine ou de parfaits inconnus qui me disaient qu'ils priaient pour moi. Nous avons passé par des moments tantôt poignants, tantôt sympathiques.

Ces marches sont devenues sacrées — notre école du dimanche en quelque sorte — et une activité que j'étais déterminée à entreprendre quelles que soient les circonstances. Nous marchions plus lentement parce qu'à cause de la vincristine dans le mélange chimiothérapeutique que je prenais, mes pieds avaient de la difficulté à me porter et aussi parce que mon niveau d'énergie était aussi bas que celui d'un têtard en hiver. Nous riions davantage et pleurions un peu. Nous nous tenions par la main et nous enlacions lorsque nous en avions besoin, sans nous préoccuper de ce que pouvaient penser les autres. Toutes ces années passées à nous inquiéter pour nos enfants, à nous plaindre de nos maris, à pleurer la mort de nos parents et à nous adapter à la deuxième femme du père de Laura ne nous avaient pas préparées à la possibilité que l'une de nous s'en aille.

Maintenant que je suis guérie, nous avons accéléré le rythme. Par pluie ou par beau temps, nous escaladons les collines et les redescendons. Nous ne tenons rien pour acquis. Nous avons compris, d'une façon aussi intense qu'un arc-en-ciel au-dessus de Puget Sound, que nous étions bénies. Je vais d'un pas tranquille chez Laura et nous discutons de la température qu'il fait. Nous nous habillons en conséquence, ajoutant des gants ou enlevant des vestes. Nous nous étreignons, nous rigolons et nous nous dirigeons vers le bas de la colline, en nous défoulant au sujet des événements de la semaine. J'arrête pour crier après des corbeaux et nous rions toutes les deux devant mon excentricité. Arrivées aux battures, au deuxième mille environ, nous avons atteint notre vitesse de croisière. Nous voyons un phoque qui s'ébat dans les vagues et nous arrêtons un moment pour l'observer. Nous poussons des cris d'admiration devant les reflets de la lumière sur son dos et nous nous appuyons l'une contre l'autre avec désinvolture.

Nous sommes notre meilleur auditoire et nous le savons. Nous sommes dans une église, c'est un endroit sacré et nous prêtons attention. Nous nous rendons compte de la fragilité de notre existence, chose que nous n'aurions pas pu imaginer au début. Peut-être à cause de ceci, nous sommes devenues plus futées, faisant notre marche par toute saison, nous inquiétant au sujet de nos enfants, nous plaignant de nos maris et célébrant notre capacité à le faire. Nous sommes devenues plus philosophes au sujet de tout, peut-être parce que nous étions au bord du gouffre et que nous savons maintenant à quoi il ressemble.

Laura et moi nous aimons comme seules des meilleures amies peuvent le faire, sans condition, et avec une franchise rare dans les autres relations. Je sais qu'elle sera toujours là pour m'épauler et je suis convaincue que je le serai aussi. C'est mon amie du mouvement et nous sommes à notre meilleur lorsque nous montons la colline à toute vitesse, occupées à parler de choses de grande importance, du moins pour nous. En marchant et bavardant, riant et divaguant, nous ne nous écartons pas de notre chemin et surtout pas l'une de l'autre.

— *Janie H. Starr*

 # Les dons que m'ont faits les femmes de ma vie

J e suis née sous une bonne étoile. Je suis la création de plusieurs femmes. Bien que seule ma mère ait eu l'insigne honneur d'accoucher de moi et de m'élever, trois autres femmes de la famille ont joué un rôle décisif dans ma formation, aussi sûrement que si elles m'avaient faite d'argile. Ces femmes — ma mère, deux de mes tantes paternelles et une tante par adoption — étaient à une époque plus grandes que nature et même maintenant que je reconnais qu'elles ne sont pas des surfemmes, elles continuent d'avoir une grande importance dans ma vie. Elles ont toutes, chacune à leur façon, eu un impact sur ma vie. Leurs différentes personnalités ont déterminé dans une large mesure la jeune fille que j'étais et la femme que je suis devenue.

De ma mère est venue la contribution du cœur. Elle m'a transmis sa générosité et sa gentillesse. Sa douceur m'a rendue plus douce. Elle m'a insufflé son amour des gens, de la conversation et m'a appris la joie réelle de donner. C'est à ma mère aussi que je dois mon aversion envers le rôle de femme au foyer, le rôle qu'elle a choisi dans la vie. J'ai vu sa foi ébranlée lorsque, à la dissolution de son mariage avec mon père, elle s'est retrouvée dépourvue. J'ai observé ma mère et sa vie et j'ai fait un virage à cent quatre-vingt degrés, me jurant de ne jamais dépendre de quelqu'un.

Mes tantes du côté paternel m'ont servi de modèle dans la vie adulte. Je me suis façonnée à leur image, sans même m'en rendre compte. Je suis issue de ma mère mais aussi de mes tantes. Ma tante Lee a été le bolide de la famille. Petite de taille, fougueuse et rebelle, elle commandait toujours et vous le faisait savoir. Elle avait une opinion sur tout et n'hésitait pas à l'exprimer. Si tante Lee savait ce qui vous convenait, elle vous le disait, que vous vouliez l'écouter ou non. Les gens écoutaient tante Lee, que j'avais surnommée affectueusement la « Gestapo ».

Aussi exaspérante que la petite Gestapo pouvait l'être, tante Lee était aussi adorable. Elle m'a donné sa force, son énergie, son acharnement au travail et sa conviction. Elle m'a appris qu'il était bon d'avoir une opinion et que j'avais droit à la mienne. De tante Lee, j'ai reçu le droit de dire ce que je pensais et l'assurance de chercher à obtenir ce que je voulais. J'ai appris d'elle la valeur de se prendre en main, et surtout d'être responsable de sa propre vie.

Tante Anna, l'une de mes plus vieilles tantes, a été une forte mais discrète influence. Elle était un mélange intéressant de silence et de volonté de fer. Tante Anna était le roc de la famille et de nombreuses personnes, y compris moi pendant de longues années, la jugeaient froide. Puis un jour, j'ai vu tante Anna craquer. La perte de contrôle n'a duré qu'un moment. Elle parlait de mon père, son frère préféré, qui venait de mourir. À un moment donné, sa voix s'est cassée, mais elle a repris le contrôle d'elle-même et a continué à parler. Par la seule force de sa volonté, elle a réussi à dominer ses émotions. C'est ce jour-là que j'ai compris la force de volonté de tante Anna et la profondeur de son caractère. En un rien de temps, j'ai vu au-delà de l'extérieur sévère de tante Anna et j'ai appris plus à son sujet que toutes ces années d'observation. Jusqu'à ce jour, je suis ébahie par sa capacité à retenir ses larmes.

De tante Anna, j'ai reçu les dons de dignité, de fierté et d'autonomie. J'ai appris que je pouvais me faire entendre sans parler. Elle m'a appris que certains sentiments sont secrets et que les révéler leur enlevait de l'importance. Je me suis rendu compte que la réserve de tante Anna était une forme d'autoconservation, une façon de se raccrocher à elle-même pour s'empêcher de s'effondrer. Pour moi, ça a été une dure leçon à apprendre, mais j'ai fini par comprendre quand et comment imiter sa force et sa maîtrise de soi.

Joan a été la seule autre personne de sexe féminin qui a exercé une influence sur moi tout en ne faisant pas officiellement partie de la famille. C'était une femme en avance sur son temps. Joan vivait avec mon oncle préféré Charlie, qui était encore marié à quelqu'un d'autre. Pour cette faute impardonnable, la famille de Joan l'avait reniée. Bien qu'elle soit plus jeune que mes parents et les membres de leur fratrie, sa relation avec mon oncle l'assimilait à leur génération. Mais Joan se démarquait. C'était la seule personne adulte de la famille que je considérais comme une amie, et non pas seulement comme un membre de la famille.

Je sais maintenant que ce qui m'attirait en Joan était son indépendance et son autonomie. Elle se déplaçait par ses propres moyens. Dans une famille de femmes qui ne conduisaient pas, c'était quelque chose. De Joan, j'ai appris la joie de la libération ainsi que la solitude de l'indépendance. Des années plus tard, j'ai réalisé le prix exorbitant qu'elle avait payé pour sa liberté. Éventuellement, je pense que ça lui a brisé le cœur.

Joan m'a appris que flirter était amusant et que les hommes n'étaient pas des créatures ennemies mystérieuses. Elle m'a montré que l'on pouvait s'amuser en compagnie des hommes tout en se comportant comme une vraie dame. Joan m'a appris à rechercher les quelques hommes de bien qui me traiteraient en égale tout en m'appréciant comme femme. Je vois encore Joan avec ses cheveux foncés courts, riant à gorge déployée, s'amusant. Elle adorait manger. Elle empoignait la vie par le col de la chemise et la secouait. Elle a fait des choses qu'aucun membre de notre famille n'aurait même pensé faire. La première fois que j'ai pris l'avion, c'était avec Joan.

Ce sont ces femmes qui m'ont formée. Je suis la création combinée de leur esprit et du mien. Leurs points forts et leurs bizarreries sont maintenant entrelacés en moi. Je porte leur marque tout en imprimant la mienne.

— *Donna Marganella*

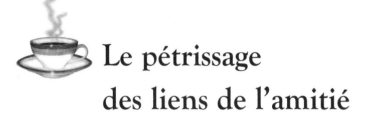

Le pétrissage
des liens de l'amitié

J'adore rendre visite à Anna. Sa maison dégage une bonté calme et de l'énergie positive. Certaines personnes ont le don de créer une ambiance accueillante, en gardant les mains et l'esprit occupés, en prêtant attention, en étant de bonnes amies et en communiquant leur sagesse tout en faisant du bien. Et ce don, Anna le possède.

Un matin, Anna m'a appelée. « Je vais faire du pain à la cannelle. Je sais que tu l'aimes et que tu veux voir comment fonctionne mon robot-boulangeur. Je le commencerai à ton arrivée. »

À ma dernière visite, il y a presque un mois, Anna m'avait servi du pain de seigle chaud fait avec son robot-boulangeur. La machine était un cadeau bien trouvé que lui avait fait sa fille à Noël. Je lui avais demandé de me montrer une fois comment elle faisait le pain.

Lorsque je suis arrivée, tous les ingrédients pour faire le pain étaient prêts et du chili mijotait sur la cuisinière pour le déjeuner. Anna me sert du café frais fait. J'adore quand les autres cuisinent. Pour moi, le fait qu'une personne puisse verser plein de trucs dans un pichet ou une cafetière et obtenir le résultat escompté relève de la magie. Peut-être que la magie est de savoir utiliser les talents que chacun possède. Peut-être que si j'observe assez longtemps, un peu de son talent en cuisine déteindra sur moi.

Anna commence le pain. Elle verse les ingrédients dans une sorte de seau, qui ne ressemble en rien à un moule à pain. « Il ne sortira pas de pain ! » lui dis-je.

Anna rit. « Tu verras. »

Anna place le seau dans la machine et appuie sur quelques boutons. Bientôt, on entend des bruits infernaux de mélange et de pétrissage.

« Est-ce que tu ne devrais pas vérifier ? »

« Non, tout va bien. Nous allons déjeuner et mangerons le pain chaud plus tard, comme dessert. »

Le chili est juste ce qu'il faut d'épicé. Ses poivrons verts proviennent du potager de son frère. Le robot-boulangeur émet de temps à autre des bruits étranges puis fait une pause. Nous mangeons un deuxième bol de chili et je continue de m'attendre à voir le couvercle de la machine exploser ou un bruit terrifiant se faire entendre.

Anna rince les assiettes et met de côté un bol de chili pour son frère. Le silence du robot-boulangeur est douteux.

« Es-tu certaine que tu ne devrais pas aller voir ? »

« Le pain doit lever plus d'une fois et ensuite il cuira. Allons au salon. »

Anna prend l'afghan qu'elle est en train de crocheter. Elle utilise ces jours-ci du fil de couleur pâle, plus facile à voir.

« J'ai renoncé à beaucoup de choses quand j'ai dû arrêter de conduire, dit-elle, mais je trouve encore de quoi m'occuper. »

Nous parlons de ses amis et des voisins, dont certains qu'elle connaît depuis cinquante ans. Elle mentionne la conversation téléphonique hebdomadaire avec sa fille. Elle me dit que sa petite-fille aime beaucoup l'afghan pour lit double qu'elle lui a fini le mois passé. Pour l'Action de grâces, toute la famille viendra comme d'habitude.

Elle est heureuse de ne plus avoir à tondre le gazon cette année et se demande si elle pourra le faire l'été prochain. Elle me raconte qu'elle aimerait faire repeindre les pièces du bas. Elle s'informe au sujet de mon nouvel ordinateur et de la santé de mon frère.

Je lui raconte ce qu'il y a de nouveau, tout en tendant l'oreille. Je n'entends aucun bruit venant de la machine dans la cuisine et je ne peux pas non plus sentir l'odeur de cuisson.

Anna crochète, sans se laisser troubler. Je me demande combien de son temps peut être mesuré en écheveaux qui lui sont passés par les mains avant d'être transmis à quelqu'un d'autre. L'afghan qu'elle fait est pour un neveu. « Il aime regarder la télé couché par terre et il fera froid bientôt. Ensuite, l'église en veut un pour son bazar. »

Anna m'a fait cadeau d'un afghan. Un afghan qu'elle a fait juste après le diagnostic de dégénérescence maculaire de la rétine. C'était l'une de ses nombreuses « expérimentations » alors qu'elle apprenait une autre manière de faire les choses. Les loupes, les magnétophones à bande et les marqueurs (qu'elle utilise pour étiqueter les cadrans des électroménagers et des thermostats) font maintenant partie de sa vie. Par les nuits froides d'hiver, je m'enveloppe souvent dans le produit de sa volonté.

Nous nous étirons et grimpons les marches abruptes qui mènent à la seule salle de bain. Ces marches lui permettent d'exercer ses jambes et ses poumons. Je renifle (Après tout, l'air chaud monte). Elle rit.

« Il faut que tu aies plus confiance. »

« Ça fait plus d'une heure que nous ne sommes pas allées à la cuisine. »

Nous redescendons. Elle se lamente que les longues marches deviennent plus pénibles, même si elle s'efforce de marcher chaque fois que le temps le permet. Elle va à la cuisine chercher de l'eau et son médicament contre l'hypertension. Je la suis, voulant me rapprocher de vous savez quoi.

Et soudainement, je respire l'odeur du pain qui cuit. « Quelque chose se passe. »

Anna se dirige vers la machine pour vérifier la minuterie. « Ce ne sera plus très long. »

Et effectivement, la sonnerie de la minuterie retentit bientôt. Le pain est prêt et c'est du vrai pain. Tout l'étage du dessous est imprégné de sa bonne odeur. Le goût en valait l'attente.

Anna me sert une deuxième tranche avant que je n'en redemande.

« J'ai mis un peu plus de cannelle car je sais que tu aimes la cannelle. »

— *Nancy Scott*

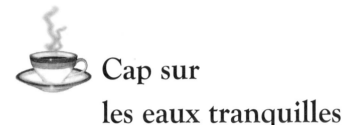 Cap sur
les eaux tranquilles

À dix-huit ans, j'ai été accepté à un collège qui fit faillite l'été où je décrochais mon diplôme d'é-tudes secondaires, quelques semaines avant que je quitte la maison pour m'y rendre. N'ayant pas d'autres projets, je suis partie en direction de San Francisco avec une amie, dans son auto pleine à craquer. Après avoir couché par terre une semaine dans le condo d'un parent, j'ai loué un appartement au troisième étage d'un immeuble, situé au coin de Cole et Haight, qui abritait des ivrognes endormis et des adolescents inca-pables de dormir. Je me voyais un peu comme la pro-chaine Virginia Woolf ou Emily Dickinson et j'ai donc pris le tramway, puis le bus pour aller m'inscrire à l'u-niversité de l'État de San Francisco. J'étais arrivée à San Francisco avec environ mille dollars. Après avoir payé le loyer et les frais de scolarité, il me restait juste assez d'argent pour m'acheter quelques boîtes de macaroni au fromage. Je me suis rendu compte qu'il était temps de devenir adulte et de me trouver un emploi.

Dix-sept ans plus tard, je détenais un diplôme d'anglais d'une utilité douteuse, occupais un emploi à temps plein au service des admissions, avais deux enfants adorables et c'était à peu près tout. J'étais certainement devenue adulte ; j'avais quitté mon charmant mari alcoolique et renoncé à mes rêves d'avoir une chambre à moi. Je gaspillais mon diplôme de création littéraire à rédiger des manuels de procédures et des procès-verbaux mais je ne pouvais pas trop rouspéter. Après tout, je subvenais à mes besoins après m'être retrouvée seule, sans le sou, avec des créanciers à mes trousses. Grâce à mon poste à l'université, j'avais au moins droit à un régime de prestations de maladie, j'avais une maison, la tranquillité d'esprit et j'envoyais mes enfants à l'école bien habillés. Je n'étais pas Emily Dickinson, mais je ne vivais pas non plus comme une héroïne d'un roman de Dickens.

J'arrivais d'habitude au bureau à 7 h pour pouvoir en sortir à 16 h. J'aime quitter le travail assez tôt pour aller chercher mes enfants à la garderie et les emmener manger une pizza ou leur louer une vidéo. Mes amies me taquinent au sujet de mes vendredis soirs romantiques. Mais, après toutes ces années passées à me demander ce que ces vendredis soirs avec mon ivrogne de mari allaient m'apporter, j'étais satisfaite de ressentir la sécurité d'avoir mes deux enfants avec moi et de n'avoir d'autre surprise que la saveur de glace qu'ils allaient acheter.

Au cours de mon cheminement, j'ai rencontré des femmes qui elles aussi semblaient à la dérive au début mais ont fini par gouverner leur vie comme des marins aguerris qui, dans une tempête, ont réussi à mettre le cap sur des eaux calmes et sont heureux d'y être. Une de ces femmes, ma grande amie Katie, a eu une profonde influence sur ma vie.

À peine l'école secondaire finie, Katie est devenue mère de deux enfants, avant même d'avoir eu le temps de réfléchir à ce qu'elle voulait faire de sa vie. Ensuite, pendant plusieurs années, elle a vécu en banlieue, a envoyé ses enfants à l'école privée, a célébré les fêtes et les vacances avec beaucoup de nourriture et encore plus de boisson. Elle a eu un troisième enfant et cinq ans plus tard, un autre. Alors que son mari se concentrait sur son travail, Katie s'occupait à élever ses enfants, à cuisiner et à nettoyer après le passage de sa famille de six, en s'efforçant d'y maintenir l'ordre et de rendre tout son monde heureux. Son mari buvait de plus en plus, parlait de moins en moins et ne cessait de remâcher sa colère tandis que Katie essayait de prouver qu'elle était une surfemme tout en noyant sa frustration dans l'alcool. Mais il est difficile de gouverner le cap lorsqu'on flotte dans l'alcool. Katie se sentait piégée dans une grande maison, à s'occuper d'une grande famille, attachée, par la force d'années d'antécédents familiaux, au mât de leur vie ensemble. Puis, un beau jour, elle prit la barre.

Quelqu'un lui avait parlé des Alcooliques Anonymes. Elle a assisté à leurs réunions et a ressenti le besoin impérieux de s'en sortir. Elle s'est inscrite à un programme pour arrêter de boire, a consulté un conseiller en orientation professionnelle et a redécouvert son grand désir d'être infirmière (dans une pouponnière bien entendu). Tandis qu'une de ses filles commençait le collège et une autre la maternelle, Katie commençait ses premiers cours de base.

Katie continue à apprendre à se servir du courant pour se déplacer dans de nouvelles directions et, éventuellement, dans la bonne direction. Ce faisant, elle trace un nouveau territoire pour elle-même et sa famille. Bien entendu, sa famille se plaint souvent et essaie même parfois de revenir à la situation antérieure. Après tout, ce qui est familier semble toujours un meilleur choix au début. Mais Katie voit l'or poudroyer à l'horizon et comme moi, elle prend la mer à destination de ce rivage lointain et ne le perd pas de vue, même lorsque les eaux deviennent turbulentes. Elle sait que le jeu en vaut la chandelle et qu'une nouvelle aventure l'attend quand la mer se calmera et que tout le monde se sentira en sécurité.

Le vendredi, Katie et moi nous retrouvons quelquefois à mi-chemin l'une de l'autre. Nous allons chercher nos enfants pour dîner ensemble. Après, nous les emmenons jouer au parc tandis que Katie et moi nous asseyons tranquillement ensemble pour bavarder, rire et rêver.

— *Sarah Stockton*

 # Les deux
Américaines

J'avais presque quatorze ans quand je montai à
bord du vieux navire de la marine, *The General
M.B. Stewart,* dans le port de Brême, en Allemagne.
J'étais avec mes grands-parents et des centaines d'autres personnes, bon nombre d'entre elles étant des
Hongrois comme nous, qui avaient été assez chanceux
pour survivre aux camps de réfugiés. La Seconde
Guerre mondiale avait chamboulé notre vie et nous
avait déplacés, faisant de nous des réfugiés. Même si
nos bras nous faisaient mal à cause de toutes les vacci-
nations reçues, nos espoirs et nos rêves grandissaient
démesurément alors que nous commencions notre
voyage vers l'Amérique.

Une fois à bord du navire, les femmes et les enfants
furent conduits à un grand espace, sous le pont, et les
hommes et les garçons plus âgés à un autre. On nous
attribua ensuite nos couchettes. J'eus la couchette du
haut et grand-maman, celle du bas. Grand-papa,
comme de raison, alla avec les hommes. Après nous

être installées avec nos maigres possessions, quelques vêtements, grand-maman et moi rejoignîmes grand-papa sur le pont où il nous attendait.

Lorsque le navire commença à bouger, les gens sur le rivage nous crièrent « *Auf Wiedersehen* » (au revoir) et de nombreuses personnes à bord avaient les larmes aux yeux, car nous savions que nous ne reverrions plus jamais notre patrie. Je me souviens d'avoir scruté le visage de mes grands-parents, leurs yeux remplis de larmes révélant les sentiments de tristesse et de bonheur que je partageais. Mais nous étions maintenant en route vers l'Amérique où les rues étaient pavées d'or ! Grand-papa m'expliqua que ce n'était pas vraiment de l'or, mais plutôt que les occasions en or y abondaient.

Les amis et parents qui étaient partis avant nous nous avaient beaucoup parlé de l'Amérique. Deux ans avant notre départ, j'avais commencé à étudier l'anglais dans l'école du camp de réfugiés, mais je le maîtrisais très mal.

Notre traversée de l'Atlantique, par mer houleuse, dura dix jours. Ma grand-mère souffrit presque tout le temps du mal de mer, mais moi, je me portais bien et me fis de nouveaux amis. Un jeune Américain appelé Dave, qui travaillait dans l'énorme coquerie, m'apporta mon premier Coke, un vrai délice. Il me demanda ensuite où nous allions aux États-Unis.

« Je vais en Inde », répondis-je timidement à Dave.

Il me corrigea en souriant. « Tu veux probablement dire Indiana et non Inde, In-di-an-a » accentuant la dernière syllabe et ajoutant : « Tu te plairas en Amérique ».

« En Amérique, tout ira bien », lui dis-je avec un petit rire nerveux.

La plupart des enfants sur le bateau passaient leur temps à jouer et à regarder des films de Roy Rogers dans la grande salle de récréation. Il y avait aussi beaucoup d'excitation. Un jour, alors que je partageais un fauteuil avec une amie, une énorme vague déferla sur le pont et fit voler une énorme chaise à l'autre bout de la pièce, nous forçant tous à courir de tous côtés pour éviter d'être cognés. Dans l'énorme salle à manger où nous prenions nos repas, il nous fallait souvent tenir le plateau d'une main pendant que nous mangions pour l'empêcher de glisser et de tomber de la table. Sur le pont supérieur, nous observions souvent les dauphins en train de jouer dans l'eau, cachés par intermittence par les vagues. Nous voyions même parfois d'autres navires passer, comme le paquebot de luxe, *The Queen Elizabeth*, se dirigeant vers l'Europe avec ses passagers américains ! Lorsque nous longeâmes les Falaises blanches de Douvres, nous chantâmes « There'll Be Blue Birds over the White Cliffs of Dover » que quelqu'un nous avait appris dans la salle de récréation.

Puis, un matin avant l'aube, ma grand-mère me réveilla. « Dépêche-toi ma chérie, on voit les lumières de New York au loin ! » m'annonça-t-elle d'un air excité. Je sautai de ma couchette, m'habillai en vitesse et nous nous dirigeâmes vers le pont où des centaines de personnes s'étaient réunies. Grand-papa nous y attendait déjà. Je me souviens d'avoir regardé fixement d'un air endormi l'horizon sombre, progressivement en extase devant les milliers de lumières qui commençaient à scintiller au loin. Ça ressemblait à un royaume des fées. C'était ma première vision de l'Amérique !

Alors que l'aube commençait à pointer, quelqu'un dans la foule cria : « La voici, la voici ! la Statue de la Liberté ! »

J'étais hypnotisée par la vue de cette grande dame avec sa torche, s'élevant magnifiquement de l'eau. De ma bonne place sur le bateau, sa torche semblait dépasser de plus en plus les toits de New York. L'émotion m'étouffait et je pouvais presque entendre Dame Liberté dire les mots que j'avais appris dans mon cours d'anglais.

Donne-moi tes pauvres, tes exténués
Qui en rangs pressés aspirent à vivre libres

Il me semblait qu'elle s'adressait directement à moi. Cette vision est gravée dans ma mémoire de façon indélébile.

Plus tard, alors que nous arrivions au port, les haut-parleurs commencèrent à diffuser le « Star Spangled Banner » et nous apprîmes que c'était l'hymne national de notre nouveau pays. Une fois de plus, les personnes à bord avaient les larmes aux yeux.

Nous étions arrivés en Amérique !

Après plusieurs heures de formalités sur Ellis Island, mes grands-parents et moi fûmes finalement confiés à la femme de notre parrain, Mme Levin. Nous prîmes le train ensemble en route vers notre nouvelle destination, l'Indiana. Au cours du long trajet en train, je répondis à ses questions dans mon mauvais anglais, péniblement consciente de ma pauvre apparence. À mes yeux, c'était la plus belle et la plus gentille femme que j'aie jamais rencontrée.

Mme Levin nous aida à nous installer dans la petite maison qu'ils nous avaient préparée. Quelques jours plus tard, elle vint m'apporter des nouvelles.

« Tu rentreras à l'école bientôt, alors, demain, nous allons faire des achats toutes les deux », m'annonça-t-elle avec un sourire lumineux. « Quel âge as-tu ? »

« Dans deux mois, je vais avoir quatorze ans », répondis-je.

« Bon, je me disais qu'une jeune fille qui a presque quatorze ans aimerait se débarrasser de ses tresses, ce qui fait que nous ferons un petit saut au salon de coiffure en même temps. » Son sourire était si chaleureux et lumineux que j'eus envie de la serrer dans mes bras.

La journée suivante, une transformation commença sous les conseils bienveillants de Mme Levin. J'eus une nouvelle coupe à la mode et des vêtements et des souliers américains chics. Elle m'emmena ensuite voir mon premier film, *Le père de la mariée*, où ma confiance en moi d'adolescente fut stimulée lorsque deux adolescents me firent les yeux doux dans le hall. Du moins, c'est ce que Mme Levin prétendit. Elle me fit aussi part d'autres particularités de mon nouveau pays et aida de bien des façons cette jeune Hongroise timide à se transformer en une jeune femme américaine sûre d'elle.

Et c'est ainsi qu'en cette journée radieuse de septembre 1951, j'ai rencontré deux Américaines très spéciales qui ont transformé ma vie ; une qui m'a accueillie dans cette terre de promesses et l'autre qui m'a aidée à voir la promesse en moi et à réussir dans cette terre en or. Je me souviendrai toujours de la bonté de Mme Levin et de l'accueil chaleureux de Dame Liberté.

— *Renie Szilak Burghardt*

 # Un avant-goût
du paradis

Il était tard. Le shérif venait de quitter et mon mari et moi essayions de composer avec notre pire cauchemar. Notre fils, Mike, qui avait surmonté sa quadriplégie en devenant un athlète en fauteuil roulant, était mort. J'essayais de me ressaisir pour faire les appels téléphoniques nécessaires. J'étouffais, la boule dans ma gorge m'empêchant presque de parler.

J'ai appelé mon amie Elaine, qui avait aimé Mike presque autant que moi. Lorsque j'ai prononcé les mots fatidiques, elle n'a pas fondu en larmes et n'a pas demandé ce qui s'était passé. Ses premiers mots ont été : « Qu'est-ce que je peux faire pour t'aider ? »

Ce n'était pas la première fois que je me tournais vers elle dans un moment de crise. Lorsque je l'avais appelée pour lui annoncer une grossesse inattendue dans la famille, elle s'était exclamée « Mais c'est merveilleux », me sortant de mon désespoir. En un instant, ces quelques mots avaient changé ma perspective.

J'avais vu immédiatement que la perspective d'une nouvelle vie, quelles que soient les circonstances, était une raison de célébrer et non de pleurer.

C'est comme ça que sont les choses avec Elaine. Elle est ma conseillère, mon soutien, mon amie de toujours, partout, dans les bons et les mauvais moments.

J'ai rencontré Elaine il y a vingt-six ans alors que j'étais une jeune mariée et la belle-mère nerveuse de quatre enfants, dont deux adolescents rebelles. Elaine avait déjà survécu à trois adolescents et elle est devenue ma meneuse de claque, m'encourageant continuellement et me donnant de bons conseils. Lorsque je décrétais que je n'étais pas à la hauteur de la tâche, elle me prouvait le contraire sur le ton de la plaisanterie.

« Les adolescents sont des êtres difficiles. Personnellement, je pense qu'il faudrait les enterrer jusqu'au cou dans le sable, les nourrir et les arroser, puis les déterrer lorsqu'ils arrivent à maturité. »

Au cours de la première décennie de notre amitié, nous avons eu de vives discussions. Nos opinions politiques alors comme maintenant sont diamétralement opposées. Je suis une démocrate, elle est une républicaine intransigeante. Nous ne sommes pas d'accord sur les questions de religion et nous avons chacune notre manière d'aborder les problèmes. Mais avec le temps, nos différences se sont estompées. Maintenant, alors que nous devons faire face aux déceptions et à la maladie, nous comptons l'une sur l'autre. Dans notre mer d'ennuis quotidiens, l'intérêt que nous nous portons et les rires que nous partageons sont le canot de sauvetage qui nous permet de surnager.

Avec Elaine, il est impossible de ne pas rire. Elle attire tout ce qui est bizarre. Il y a quelques années, un enfant l'a suivi du restaurant jusqu'à la maison parce qu'il aimait la couleur du vernis sur ses orteils. Son mari, bien que contrarié, n'était pas surpris. Sa femme est régulièrement victime d'aventures cocasses.

Un matin, elle conduisait ses enfants à l'école en peignoir lorsqu'elle a fait tomber sa cigarette sur ses vêtements (elle fumait à l'époque) qui ont pris feu. Pour ne pas être brûlée vive, elle a dû sauter de la voiture et se débarrasser de sa chemise de nuit. Elle a eu une expérience semblable la soirée où elle a appelé l'unité paramédicale parce qu'elle pensait que son mari faisait une crise cardiaque. Elle a composé le 9-1-1, s'est précipitée en bas pour ouvrir la porte et est remontée ensuite en courant pour s'occuper de son mari et se changer. Lorsqu'elle a enlevé sa chemise de nuit, elle a eu la surprise de voir un travailleur paramédical dans l'embrasure de la porte qui la regardait sidéré. Son mari et elle s'en sont remis, mais elle grommelle chaque fois qu'elle s'en souvient.

Toutes les deux, comme la plupart des femmes de notre âge, avons perdu notre mère. Ma mère est morte il y a quelques années alors que celle d'Elaine est entrée doucement dans le monde gris de l'Alzheimer. Sans nous en rendre compte, nous sommes devenues la mère de l'autre. Pour nous réconforter, nous faisons les petites choses que nos mères auraient faites. Nous comprenons, comme seule une femme est en mesure de le faire, le désespoir de vieillir ; la vision accablante que nous renvoie le miroir lorsque nous essayons un costume de bain sous un néon et le sentiment de laideur que l'on ressent à voir les taches de vieillesse. Lorsque je me plains des outrages des années que je découvre dans le miroir, elle me parle des siens qui sont plus nombreux.

Elle me dit en plaisantant : « J'ai des pattes d'oie de la taille des traces de Big Bird. Ne t'inquiète pas au sujet de tes rides. Ce qui compte, c'est que nous ne sommes pas encore mortes. »

Par expérience, j'ai appris que les conseils qu'elle me prodigue sont bons. En 1984, mon mari et moi nous rongions les sangs pour savoir si nous achèterions la maison de nos rêves que nous avions dénichée par hasard. Elle était chère et j'avais peur de contracter une dette aussi énorme.

« La vie est courte, m'a-t-elle dit, on ne sait jamais ce qui nous attend. Achetez-la. »

Nous avons acheté la maison, une cachette idéale sur un lac qui a été une source constante de joie pour toute la famille. Mon mari et moi sommes d'accord que c'est la meilleure décision que nous ayons prise, après celle de nous marier.

Lorsque je me fais du souci au sujet de choses insignifiantes, mon amie me ramène à la réalité. Elle me rappelle que je ne suis qu'un être humain et qu'il est bon parfois d'être frivole.

Je l'ai appelée dernièrement pour lui dire que j'avais eu un accès de folie.

« J'ai fait une chose très stupide, lui ai-je-dit. J'ai acheté un compotier géant représentant deux singes tenant un coquillage. Ce n'est même pas du vrai majolique et il a coûté une fortune. Où avais-je la tête ? ai-je gémi »

« Cesse de te morfondre, m'a-t-elle répondu, voir ces singes te fera sourire tous les jours de ta vie. C'est un plaisir qui n'a pas de prix ! »

Mais Elaine ne se contente pas de m'encourager. Elle est ma source d'inspiration. Avec son esprit généreux et sa détermination inébranlable à faire le bien, elle est devenue mon étalon-or. Sa réponse aux personnes dans le besoin, qu'il s'agisse d'un vieil homme travaillant comme emballeur ou d'un enfant qui ne peut pas se permettre d'acheter de livres, est instinctive et généreuse. Elle applique ses principes bibliques. Lorsqu'il me faut faire un effort supplémentaire, je pense à mon amie et je le fais.

Chose étonnante, Elaine a besoin de moi autant que j'ai besoin d'elle. Elle passe par une période difficile. Son mari souffre d'une maladie pulmonaire incurable et trois de ses enfants adultes souffrent d'une maladie qui menace le pronostic vital. Au moins deux fois par jour, elle doit se rendre à la maison de retraite pour s'occuper de sa mère, même si sa propre santé est chancelante. Au courant de la tension qu'elle subit, son frère, qui habite un autre État, lui a demandé comment elle arrivait à tenir le coup.

« J'ai une amie véritable qui m'aime, avec tous mes défauts, et sur laquelle je peux toujours compter », lui a-t-elle expliqué.

C'est le plus beau compliment que j'ai jamais reçu.

— *Rochelle Lyon*

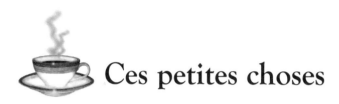 # Ces petites choses

Le soir, ma mère lit le journal dans son lit. Calée sur des oreillers, les lunettes de lecture juchées sur le bout du nez, les pages qu'elle tourne et les sections qu'elle plie produisent un bruit de froissement agréable, dans le calme de sa chambre à la maison. Cela a été son rituel depuis aussi longtemps que je me souvienne.

Ce soir, elle dort dans ma maison, dans le lit emprunté de mon fils, lisant un journal qui est différent du sien. Elle le trouve intéressant et découpe un article du cahier Santé et conditionnement physique sur l'effet positif des canneberges sur les mauvaises bactéries du tube digestif.

Pendant qu'elle lit, je rentre et sors de la chambre, faisant plus d'allers et venues que nécessaire à la commode de mon fils pour sortir des sous-vêtements propres et les livres de la bibliothèque alors que je prépare les enfants pour le coucher. À dire vrai, je veux tout simplement entendre le froissement du papier, voir ses pantoufles en satin rose au petit nœud placées par terre près de sa valise, sentir son odeur de crème de nuit, tellement peu à sa place dans le décor de frappeurs de coups de circuit et de dinosaures de la chambre à coucher.

Elle est venue me réconforter et me tenir compagnie durant le voyage d'affaires de cinq jours de mon mari et je lui en suis profondément reconnaissante.

Je suis reconnaissante alors que je me lève pour la énième fois au cours du dîner, dîner qu'elle a préparé, pour aller chercher un article que réclame ma fille de trois ans : du ketchup, la fourchette à pois, non, pas celle-là, l'autre et du jus de pomme.

Je lui suis reconnaissante de remplir le lave-vaisselle pendant que je parle à mon mari qui est à Chicago et qui est assez gentil pour ne pas mentionner le piano-bar où ses collègues et lui, après leur dîner dans un bon restaurant, iront faire un tour, histoire de se délasser après une dure journée de travail. (C'est un sage homme : je ne suis mise au courant de ces choses qu'à son retour à la maison et seulement lorsque je le demande.)

Je lui suis reconnaissante d'accepter, après dîner, de jouer quatre parties de Clue Junior avec mon fils de sept ans et de s'éclipser discrètement dans sa chambre pendant que j'essaie de calmer l'accès de colère venant de la fatigue de ma rouquine de fille. (De quelle fatigue provient-il, de la sienne ou de la mienne, je me demande ?)

« Ce sont de belles années pour toi, mais elles peuvent t'épuiser vite », me dit-elle, compatissante, lorsque nous avons finalement un moment pour bavarder. Je suis étendue dans le lit à ses côtés, étant pour un court moment une fille et non une mère.

« Tu t'es bien débrouillée avec quatre », je lui dis avec émerveillement, en fixant le plafond.

« Oui, mais il y avait une plus grande différence d'âge entre eux. Les plus grands me donnaient un coup de main. »

Ce n'est vrai qu'en partie. Lorsque je suis née, les autres enfants avaient sept, huit et douze ans. Et alors que papa travaillait toute la journée et poursuivait ses études le soir, maman s'occupait des tout-petits endiablés. (Elle m'a raconté une fois que pendant quatre ans, elle a repassé tous les jours deux chemises blanches pour mon père, une pour le travail et l'autre pour l'école du soir.)

Elle essaie tout simplement de se montrer gentille envers moi.

Je fais bouffer l'oreiller et je pense à ce à quoi je pense toujours quand mon mari est en voyage et que je suis seule à m'occuper de la maison et de la famille : comment s'y prennent les parents célibataires pour s'occuper de tout, jour et nuit, tous les jours, même le week-end.

« Je suis contente que tu sois là », lui dis-je en lui serrant la main.

« J'aime beaucoup être ici », me répond-elle en me serrant la main à son tour.

Le matin, je lui apporte une tasse de café fumant à son chevet. Elle le savoure comme si c'était un nectar des dieux.

« Ça fait des lustres qu'on ne m'a pas servi de café au lit ! » s'exclame-t-elle. Elle soupire en prenant sa première gorgée avec un plaisir évident.

« Je pensais que papa te servait toujours le café au lit », lui dis-je avec surprise.

« Non, il ne sait pas comment faire fonctionner la nouvelle cafetière. »

Je lui réponds, étonnée. « Est-ce que nous parlons du même homme qui, à 70 ans, a appris à faire fonctionner son ordinateur, avec modem et tout ? »

Nous secouons la tête et rions dans la lumière grise du matin. Je vais ensuite répondre à l'appel de ma fille, en haut de l'escalier, où elle est en train de s'étirer et de chanter « Old McDonald ».

Le lendemain, nous nous parlons au téléphone. Elle est de retour chez elle, en train de planter des tulipes et de faire un potage au poulet et aux légumes. Je lui fais un compte rendu détaillé de ma journée et elle commente par des onomatopées aux bons endroits.

« Merci d'avoir passé la nuit chez moi maman », je lui redis avant de raccrocher.

« Merci de m'avoir apporté le café au lit », me dit-elle, et je sais qu'elle le pense vraiment.

— *Marsha McGregor*

# Une grande petite dame

J e venais de me verser une tasse de café et de m'asseoir à la table de cuisine. Mes filles, Carla et Elaina Marie, étaient parties pour l'école et mon mari, Carl, était parti pour le travail. Tous les matins, les bois de Caney Mountain s'animaient lorsque le soleil venait chasser la noirceur et la remplacer par sa teinte joyeuse de framboise. Je prends toujours le temps de savourer cette scène avant de m'attaquer aux corvées quotidiennes de notre petite ferme.

C'est alors que je la vis. Une fumée épaisse, noire, s'élevait en volutes en provenance de Caney Mountain. Les étincelles fusaient à travers les cimes des arbres dans le brouillard matinal.

« La maison de Mme Natalie est en feu ! »

Complètement affolée, je posai brutalement ma tasse, renversant le café, et je sortis à toute vitesse. Je passai à toute allure devant le bétail qui me regardait avec des yeux grands ouverts. Me voyant venir, les vaches s'étaient alignées comme des soldats pour m'observer. Je me frayai un passage à travers la clôture en fil de fer et coupai au galop la route qui serpentait le long de la vallée.

« Je n'ai pas le temps de prendre la voie d'accès à la propriété ! » Soufflant comme un phoque, je me frayai un chemin à travers les bois pour arriver directement à la maison de Mme Natalie. Les pensées se bousculaient dans ma tête. « Pauvre Mme Natalie. Elle dort probablement encore. Terrassée par la fumée. D'ici, tout le ciel est noir ! »

Le laurier de montagne me frôlait le visage, le mûrier sauvage m'égratignait les bras et me déchirait les vêtements. « J'y suis presque ! » me dis-je d'une voix rauque. La fumée se répandait, limitant ma vision. Soudainement, un vrombissement assourdissant retentit à travers les ombres chargées de suie. Je m'arrêtai net en regardant fixement. Mme Natalie était en train de débiter un pin gris en bûches. Un peu plus haut, un tas de broussailles était en train de brûler. La bouche ouverte, j'observais, trop soulagée pour sentir que mes jambes étaient flageolantes et que mon cœur battait à tout rompre.

C'est à ce moment que Mme Natalie aperçut mon visage défait et qu'elle fit un saut. « Juste ciel Joyce, tu m'as fait peur. Est-ce que ça va ? Tu as une mine épouvantable. Pourquoi es-tu en pyjama et en robe de chambre ? »

Avec beaucoup de difficulté, je réussis à lui répondre : « Je ..Je …Je pensais que ta maison était en feu ! »

« Bonté divine, non ! me répondit-elle en riant, je suis en train de brûler des broussailles. Comment trouves-tu ma nouvelle scie à chaîne ? Je l'ai achetée pour pouvoir me débarrasser de quelques-uns de ces vieux pins gris. Il y en a trop dans les bois, tu ne trouves pas ? »

« Euh, probablement. » Mon visage empourpré commençait à se recomposer et mon cœur battant à s'apaiser. Je levai les bras en l'air en signe d'exaspération et je retournai chez moi, trébuchant sur des rondins par-dessus lesquels j'avais dû sauter à l'aller. Je forçai mes jambes vacillantes à me transporter à nouveau jusqu'au haut de la colline. La scie à chaîne vrombissait à nouveau.

« Occupe-toi de tes affaires ! » crachai-je à Sweet Pea, notre vache laitière, qui était encore clouée au sol, bouche bée. « Viens à l'étable, vieille sorcière ! Il faut que je te traie. Tout de suite ! »

Le lait chaud ruisselait dans le seau. « Une scie à chaîne ! À son âge ! Elle a soixante-huit ans, peut-être même soixante-dix ! » J'appuyai ma tête contre le flanc de Sweet Pea, essayant de me calmer. Je ne comprends pas pourquoi j'étais surprise. Carl, qui a connu Mme Natalie toute sa vie, ne se laisse pas démonter par sa nature sauvage et emportée. Pour ceux qui ne la connaissent pas bien, c'est une vieille dame frêle, à l'allure angélique, capable de persuader n'importe qui de faire du saut à l'élastique à partir d'un nuage. Elle m'est une source de stupéfaction continue.

Les voisins de Mme Natalie l'adorent, même après que deux d'entre eux se sont colletés pour faire entrer son poêle Buck pesant trois cents livres dans sa petite maison. Ils l'adorent même après que d'autres ont peiné pour installer son nouvel évier et ses nouvelles armoires achetés chez Lowe. Ils l'adorent même après que le pauvre jeune Greg a traîné petit à petit son nouvel orgue depuis la plate-forme de son camion, à travers la véranda et par la porte jusqu'à l'intérieur de la maison. « Un brave garçon, a-t-elle commenté, de bons voisins dans cette communauté. Je suis fière de vivre ici. »

Carl et moi avions décidé de bâtir notre propre maison après avoir découvert le taux d'intérêt que nous devrions payer sur le prêt.

« Très bien, a dit Mme Natalie, je vais vous donner un coup de main. »

Deux jours avant que la construction débute, sa camionnette Jeep rouge est entrée sur la voie d'accès à la propriété en faisant des bonds et s'est arrêtée, ratant de peu la clôture en lisse et Roho, le coq favori des enfants.

« Par quoi est-ce que je commence ? » a-t-elle demandé, en attachant un tablier Harris Hardware et en prenant son marteau préféré à manche bleu. Tous les jours, Mme Natalie martelait, sciait, sablait et déroulait des billes ou rabotait les pièces de bois. Lorsque les travaux ralentissaient, elle balayait la sciure et brûlait les débris. Lorsque le moment est venu de finir la cuisine, elle m'a dit : « Fais autre chose Joyce, je m'occupe de la cuisine. » Deux jours plus tard, elle avait coupé à la dimension voulue plus de cent panneaux de peuplier de quatre pouces et les avaient cloués.

Un matin, j'étais en train d'empiler du bois lorsque le visage à lunettes de Mme Natalie est apparu à l'extrémité du toit, à quarante pieds du sol. « Joyce, apporte-moi des petits clous de toiture. J'ai besoin de remplir mon tablier. »

« Pas pour tout l'or du monde ! » ai-je répondu d'une voix étranglée, me sentant étourdie rien qu'à regarder vers le haut.

Carl a chargé sur son épaule la boîte de clous et a grimpé sur l'échelle. Ensemble, ils ont installé une rangée de bardeaux après l'autre. En deux jours, le travail était fait. C'est Mme Natalie qui a cloué le dernier bardeau.

« Et voilà ! » nous a-t-elle déclaré.

Le feu flambait dans la cheminée de notre nouvelle maison. Mme Natalie et moi nous délassions dans un silence confortable, mais je savais que les idées trottaient dans sa tête.

« Penses-tu que Carl pourrait me trouver une vache ? Une petite vache jersiaise ? Elles donnent beaucoup de lait. Je pourrai baratter et faire du beurre. Je construirai une petite étable et débroussaillerai un peu les alentours pour installer une clôture électrique. »

Je l'ai fixée du regard. « Une vache ? » Quand cesserai-je de m'étonner ?

Quand Carl a entendu, il a crié : « Une vache ? Mais comment pourrait-elle traire une vache avec ses mains arthritiques ? »

« Elle y arrivera, lui ai-je déclaré, elle y arrive toujours. »

« Tu as probablement raison. »

« Elle a encore l'esprit des pionniers », lui ai-je fait remarquer.

« Bon alors, il ne lui manque qu'un fusil et une toque de raton laveur. »

Pan ! Pan ! Des coups de feu retentissent dans la vallée. « Qu'est-ce qui se passe encore ? »

Je finis d'accrocher le linge et me précipite pour répondre au téléphone.

« Joyce, veux-tu venir déjeuner ? »

« Ne me dites pas que c'est la saison des écureuils ! »

« Mais oui, et j'en ai attrapé un gros. »

« Avec grand plaisir, je lui réponds, avez-vous mis votre toque de raton laveur ? »

« Ma quoi ? »

« Laissez faire. Je serai chez vous à midi. Merci. »

L'écureuil frit est délicieux. En observant Mme Natalie trottiner dans la cuisine, posant avec force des objets sur la table, je comprends pourquoi elle plaît tant aux jeunes. Alors que les autres vieillissent, Mme Natalie reste jeune.

Un dimanche matin, mon mari, mes deux enfants et moi, nous mettons sur notre trente et un pour aller à l'église. Alors que nous nous apprêtons à sortir de la voie d'accès, nous apercevons Mme Natalie — tendant le cou pour voir par-dessus le tableau de bord — passer dans un nuage de poussière. Sa nouvelle Buick avec ses banquettes recouvertes de peau de mouton peluchée passe en coup de vent, un éclair rouge sur la chaussée grise.

« Quelle transformation, je constate. Le dimanche, elle arrête de travailler, met ses plus beaux atours, sort ses bijoux et se maquille. »

« Lorsque je serai grande, je veux être comme elle », nous déclare Carla de son siège arrière.

« Moi aussi », dit d'une voix flûtée Elaina Marie.

Je comprends pourquoi. Elle déborde d'espérance et d'émerveillement et trouve des secrets partout. Sa cour s'enorgueillit de fleurs à profusion. C'est une femme de la ferme, de la terre et du travail. Elle connaît les herbes qui guérissent et tire sa sagesse de sa communication avec la création. Elle s'essaie à la peinture à l'aquarelle et y serait bonne si elle avait un peu de patience.

La Bible dit que Dieu sourit à certaines personnes. Je pense que quand il observe Mme Natalie, il rit de bon cœur. Elle n'écoute que Dieu Tout-Puissant. Une étoile la guide et sa foi s'élève plus haut que le sommet de Caney, jusqu'au ciel.

Alors que j'écris cette histoire au sujet de ma belle-mère, Natalie Matilda Barnett (« grand-maman » pour les enfants), je me demande si je devrais changer les noms et les lieux. Les voisins se demandent qui est cette petite vieille dame en shorts, espadrilles Nike et lunettes de soleil qui dévale à toute vitesse la route sur son vélo à dix vitesses flambant neuf. Il est rouge.

« Nous n'en avons aucune idée », leur disons-nous.

— *Joyce Lance Barnett*

 L'envol

Au-delà de la neige qui fondait, le ciel était dégagé, imprégnant l'air de l'odeur délicate du printemps. Au-dessus de nos têtes, une bande d'oies s'en retournaient. De sa place avantageuse depuis son siège d'auto, ma petite fille de quatre ans étudiait les oies avec beaucoup de curiosité.

« Est-ce que la mère oiseau est triste quand ses bébés grandissent et s'en vont ? » m'a-t-elle demandé avec cette sagesse enfantine qui surprend les parents.

La prescience de cette petite fille aux joues rondes et aux grands yeux bruns me fixant dans le rétroviseur m'a prise par surprise. À quarante ans, j'étais au seuil de l'âge mûr et le temps était devenu une denrée rare. Je cochais mentalement notre liste de courses à faire de l'après-midi, calculant les heures qui restaient avant le coup magique de l'horloge annonçant l'heure d'aller se coucher et ma liberté. Soudainement, avec sa question banale, je me rendais compte que le temps de ce partenariat unique tirait à sa fin. Bientôt, beaucoup trop tôt, courir chez le nettoyeur, arrêter au bureau de poste, déjeuner au centre commercial ou feuilleter les livres à la bibliothèque (où je réussis à obtenir plus de temps à la table de livres de fiction pour adultes contre l'achat d'un nouveau livre d'autocollants), toutes ces choses deviendraient un tour en solitaire.

Je pousse un soupir à la vue de la terre stérile qui se dessine devant nous. Après tout, c'est ma plus jeune enfant. Elle sera la dernière à m'accompagner à l'épicerie, à demander un biscuit à la caissière cordiale ou à mettre ma patience à rude épreuve en prononçant ces mots tant redoutés, « Maman, je veux aller à la toilette. » « Maintenant ? » gémirai-je, en jetant un coup d'œil à nos articles d'épicerie sur le convoyeur à bande puis à la personne en avant de moi qui attend l'approbation de son chèque. Tout le monde se tournerait dans la direction de cette femme d'âge moyen, portant sa petite fille comme un ballon de football tout en se dirigeant à la course vers les toilettes à l'autre bout du magasin. « Vivement la fin de la journée ! » me dirai-je épuisée, retournant à mon chariot pour trouver que le gérant avait remis sur les tablettes les articles que j'avais abandonnés.

Me dirigeant en voiture vers ce même supermarché la journée où les oies avaient attiré son attention, je ne voulais pas que la journée se termine. Je l'avoue : c'est une assertion unilatérale. Elle va où je vais, fait ce que je fais, sans avoir son mot à dire. Mais elle est toujours d'accord. Qui d'autre accepterait de faire la queue avec moi au bureau de poste sans autre promesse qu'une sucette en guise de compensation ? Nous formons une paire, elle et moi, reconnues comme telles dans les endroits que nous fréquentons. Après tout, que serait Laurel sans Hardy ? Batman sans Robin ? Winnie sans Porcinet ? J'avais la gorge serrée.

« Maman, m'a-t-elle dit, tu n'as pas répondu à ma question. »

Mon regard a suivi les oiseaux qui disparaissaient à l'horizon. Peut-être que leur joie venait d'observer leurs oisillons apprendre à voler, sachant qu'ils avaient partagé les leçons ensemble. Pour nous aussi, il y aurait de nouvelles expériences à partager au fil des saisons. Elle aussi conquerrait son indépendance, voyagerait, sécurisée, dans l'espace qui lui est attribué.

« La maman oiseau est fière de ses enfants, lui ai-je répondu. Veux-tu qu'on arrête chez Blockbuster ? »

J'ai regardé par-dessus mon épaule pour voir le sourire qui s'épanouissait. Et j'ai prié en silence que dans les années à venir, lorsqu'elle aura quitté le nid, je me souvienne de ce moment. Un jour, la laisser aller dans le monde pourrait l'emporter loin de moi. Mais pour l'instant, nous continuons de former un duo dynamique.

— *Tracy Williams*

Mon cadeau
de la Saint-Valentin

Une cloche au-dessus de ma tête annonça mon entrée dans le magasin. Une fois à l'intérieur, je respirai à fond pour humer l'arôme de rose et de lavande.

Puis, accompagnée par les accords d'un morceau classique au clavecin qui passait en fond sonore sur la stéréo, je me frayai un chemin vers l'arrière, contournant les vêtements d'époque et les rayons de jeans, chandails et robes d'occasion. Je m'arrêtai un instant pour regarder un présentoir en chêne et en verre, rempli de colliers et de boucles d'oreilles antiques.

J'arrivai enfin au « salon » où étaient exposées les antiquités de l'époque victorienne : un canapé en velours bourgogne, des berceuses en bois, des tapis tressés, des petits napperons en dentelle et quelques fougères pour décorer.

Sur le mur du fond étaient suspendues des robes de mariée.

Dans la trentaine, j'avais repris mes études après mon divorce et je n'avais donc pas les moyens de m'acheter une robe neuve pour mon deuxième mariage. Je dois dire que j'hésitai beaucoup. L'idée d'essayer une robe qu'une autre femme avait porté à son mariage ne me plaisait pas du tout.

Finalement, je décidai que je n'avais rien à perdre à *regarder* pour le moins les robes d'occasion.

Mais je me demandais quand même ce que je faisais ici, aujourd'hui en particulier. C'était un jour de semaine et c'était en plus la Saint-Valentin. Je passais devant le magasin tous les jours en route vers l'université et je ne sais vraiment pas ce qui m'a amenée à arrêter à *Reflections of the past* cet après-midi.

Mon fiancé Randy et moi comptions nous marier dans quatre mois, à la fin de nos études. Mais au lieu de me sentir heureuse alors que je me dirigeais vers les robes, je me sentais seule. Après tout, c'était la Saint-Valentin et l'université que Randy fréquentait était à 150 milles. Après mon divorce, je n'aurais jamais pensé me remarier avant de rencontrer Randy. Et nous étions maintenant fiancés.

Bien entendu, nous anticipions notre journée de noces avec beaucoup de joie. Mais nous n'avions pas beaucoup d'argent ni l'un ni l'autre. L'université, les frais de subsistance, les frais de scolarité, les livres et le matériel engloutissaient tout notre argent. Nous avions chacun une petite voiture dont l'odomètre indiquait plus de 150 000 milles, ce qui prouvait bien que nous arrivions à peine à nous en sortir.

Je taquinais Randy en lui disant qu'il était au moins sûr que je ne l'épousais pas pour son argent. Et je m'étais déjà faite à l'idée que j'achèterais une robe pratique que je pourrais porter à d'autres occasions, comme je l'avais fait lors de mon premier mariage.

Lorsque j'ai déploré le fait que je n'aurais pas une « vraie » robe de mariée, Randy m'a consolée en me disant : « Peu importe ce que tu mets, tu seras la plus belle mariée du monde à mes yeux, même si tu te mets un sac en toile de jute sur la tête avec des trous pour la tête et les bras. »

Je commençai à regarder les robes en me disant qu'il n'était pas capital d'avoir une vraie robe de mariée. Une chose était certaine, je ne voulais pas porter de robe d'occasion. Mais je fus quand même déçue de voir qu'il n'y avait pas de robe de ma taille. Une taille 18 pourrait m'aller si j'engraissais beaucoup en peu de temps. Je n'avais pas porté de taille 5 depuis la septième année et même alors.

« Est-ce que je peux vous aider ? » demanda une voix derrière moi. C'était la propriétaire du magasin.

« En fait, je ne trouve rien pour moi ici...»

« Quel dommage ! »

Elle marqua une pause pour réfléchir.

« Attendez. J'ai une robe en arrière. Elle vient d'arriver aujourd'hui et je n'ai même pas eu le temps de l'examiner. »

Elle disparut sans attendre ma réponse. Quelques minutes plus tard, elle revenait, essayant de ne pas balayer le plancher avec une longue robe blanche. Je pouvais déjà voir que la robe avait beaucoup trop de dentelle et de volants à mon goût.

La femme posa la robe sur le canapé en velours bourgogne. « Quelle merveille ! Elle est en excellent

302 ~ *Une tasse de réconfort pour les femmes*

état, dit-elle en touchant la dentelle. C'est une taille 12, est-ce que c'est votre taille ? »

Je n'avais pas vraiment envie d'essayer la robe, mais je la pris quand même et me dirigeai vers la salle d'essayage. La dame essayait d'être obligeante et je ne voulais pas la froisser.

J'enfilai la robe et peinai pour remonter la fermeture à glissière dans le dos. Lorsque je me retournai pour me regarder dans le miroir pleine longueur, ma première impression fut confirmée. Un énorme volant en satin et des manches ridiculement bouffantes dominaient le torse tandis que des plis en dentelle sans forme s'enroulaient autour de mes jambes.

« Voici, me dit la dame, en poussant un jupon à crinoline sous la porte, cette robe a besoin d'une crinoline. »

Une fois de plus, je peinai pour enfiler le jupon et replaçai la robe par-dessus.

Je me retournai pour regarder dans le miroir.

Des rangées vaporeuses de volants en dentelle tombaient en cascade jusqu'au sol. Maintenant que la jupe avait repris ses vraies proportions, elle équilibrait les manches bouffantes et le volant en satin autour de mes épaules, donnant à ma taille une ressemblance frappante avec celle de Scarlett O'Hara.

Des images de roseraies et de parasols me venaient à l'esprit.

Je m'imaginai ensuite dans la petite église de campagne sur le lac où le mariage devait avoir lieu. L'église s'appelait Heart Prairie et elle avait été bâtie par des immigrants norvégiens au cours des années 1800. Séparée de mes racines, vivant à 250 milles de l'endroit où j'avais grandi dans le centre-ouest du Wisconsin, j'ai senti un lien avec la petite église en pierres et les gens qui l'avaient bâtie. Mes grands-parents et mes arrière-grands-parents avaient été des immigrants norvégiens. Ma robe de mariée ressortirait contre la toile de fond du bois dur étincelant et des chandeliers d'applique en fer forgé noir qui avaient contenu les lampes à huile — l'église était encore éclairée comme à l'époque où les immigrants norvégiens y allaient.

Et pourtant l'idée qu'une autre femme avait porté cette robe à son mariage continuait de me déranger.

« Sortez nous montrer », me dit la propriétaire de la boutique.

En sortant de la salle d'essayage, je me demandais qui était ce « nous ». Un petit groupe m'attendait : la propriétaire, une vendeuse, trois clientes et une petite fille aux longs cheveux bruns bouclés.

« Elle est parfaite ! »

« Elle fera une belle mariée dans cette robe. »

« La robe lui va à ravir ! »

« Maman, quand je serai grande, est-ce que je pourrai porter une robe comme celle-là ? »

« Est-ce qu'elle vous plaît ? me demanda la propriétaire. La robe doit avoir une vingtaine d'années, mais elle est impeccable. »

« Elle est très belle, lui répondis-je, mais je ne veux pas porter une robe qui a déjà été portée. Surtout si elle a été portée par quelqu'un que je ne connais pas. Si ça avait été ma mère ou ma sœur, passe encore. »

J'avais à peine fini de parler que la vendeuse et la propriétaire se regardèrent. La propriétaire sortit de sa poche un morceau de papier qui avait été épinglé au bas du sac dans lequel était enveloppée la robe.

Je regardai la note. Elle disait : « Jamais portée. »

« Le mariage a probablement été annulé après que la robe a été commandée et ajustée », ajouta la vendeuse.

Il ne me fallut que cinq secondes pour me décider. J'achetai la robe. Je la payai probablement un cinquième du coût d'une robe neuve dans un magasin de robes pour mariées.

« Bonne Saint-Valentin », me souhaita la propriétaire alors que je m'en allais.

« Merci », lui dis-je en souriant.

« Et nous voulons voir des photos du mariage ! » ajouta la vendeuse.

« Je n'y manquerai pas », leur promis-je.

En me dirigeant vers la voiture, j'avais hâte de rentrer chez moi pour appeler Randy. Je savais exactement ce que j'allais lui dire. « Mon chéri, tu ne devineras jamais ce que j'ai trouvé ! Je n'aurai pas besoin de porter de la toile de jute. »

— *LeAnn R. Ralph*

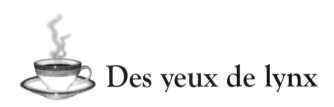 # Des yeux de lynx

U n soir d'été particulièrement collant, alors que
j'avais cinq ans, ma mère me réveilla. « Je veux
te montrer quelque chose », me murmura-t-elle. Elle
écarta mes mèches humides de devant mes yeux et
sortit mon corps mou des draps trempés de sueur.
J'appuyai ma joue sur son épaule, enfouissant mon
visage dans sa robe de chambre bleue duveteuse. Elle
m'amena dehors par la porte arrière et nous allâmes
sur notre patio. Elle s'assit sur une chaise de jardin
verte et m'assit sur ses genoux, enveloppées toutes les
deux d'un afghan pour écarter les moustiques.

« Regarde », me dit-elle en pointant du doigt vers
le ciel.

Je me frottai les yeux et regardai. Au début, je ne
vis que les constellations dont elle m'avait appris les
noms : Orion ; La Grande Ourse, les Pléiades. Mais
ensuite, je vis ce vers quoi elle pointait. Des douzaines d'étoiles descendaient du ciel, suivies par des

étincelles de lumière. Je regardais fixement, la bouche ouverte, me demandant si les étoiles allaient disparaître pour toujours.

« C'est une pluie de météores. » Ma mère m'expliqua que les météores étaient des morceaux de roche beaucoup plus près de la Terre que les étoiles.

« Est-ce qu'elles vont nous tomber dessus ? » demandai-je en plaçant les bras sur le dessus de ma tête pour la protéger.

Elle sourit. « Non, mais c'est un beau spectacle, n'est-ce pas ? »

Je hochai la tête en signe d'assentiment et je continuai à observer le spectacle de lumière. Mes paupières finirent par se fermer et je tombai endormie dans ses bras. Je me réveillai un petit instant lorsqu'elle déposa ma tête sur l'oreiller et qu'elle se pencha pour embrasser mon front.

Ma mère se donnait beaucoup de mal pour me montrer toutes sortes de choses. À la maternelle, j'étais la seule élève capable de distinguer un moineau d'un étourneau, une pensée d'un pétunia. Chaque promenade en voiture avec elle était une aventure. Les mauvaises herbes devenaient des fleurs sauvages, les nuages devenaient des enclumes et les ombres se déplaçant parmi les arbres devenaient des cerfs. Lorsque je fus la première à repérer un blaireau se sauvant dans les broussailles sur le côté de la route, elle me dit que j'avais des yeux de lynx.

Lorsque j'eus treize ans, mon flair se tourna vers l'intérieur. Je m'asseyais sur la banquette arrière, des écouteurs sur la tête. Je prétendais que ma mère était mon chauffeur. Je m'intéressais davantage à la musique tonitruante et aux boutons qui défiguraient mon visage qu'aux étoiles et aux blaireaux.

Un soir, elle s'assura quand même que je sortais regarder l'éclipse lunaire. Sauf que cette fois-ci, elle n'eut pas à me réveiller.

Je regardai le cercle foncé se superposer à la lune et je déclarai sur un ton impassible : « C'est chouette. »

« N'est-ce pas que c'est beau ? » enchaîna ma mère, en me tendant ses jumelles. Elle ne semblait pas avoir remarqué mon sarcasme.

À cette époque, c'est à d'autres enfants qu'elle montrait des choses. Sa classe de première année était remplie de nids, d'os, de feuilles et de coquillages. Une nuit d'hiver, je dus préparer le dîner de mon père pendant que ma mère restait à l'école où elle avait organisé sa soirée annuelle d'observation des étoiles. Je l'imaginais dehors, sur la pelouse glacée du terrain de jeu avec ses élèves et leurs parents, leur montrant Orion, la Grande Ourse, les Pléiades. Après, elle les ramènerait à la salle de classe boire du chocolat chaud accompagné de biscuits.

Elle rentra à la maison, le visage encore rougi par le froid. J'étais debout devant l'évier, les bras plongés dans l'eau savonneuse. Elle me demanda si j'avais vu le ciel.

« Mais non, je faisais la vaisselle. Et maintenant, je dois aller étudier. »

Elle me fit signe de partir avec un torchon, plongea les mains dans l'eau fumante et commença à récurer une poêle. « Si tu as la possibilité, va quand même voir. Le ciel est dégagé ce soir. »

Je me dirigeai d'un pas lourd et bruyant vers ma chambre et les yeux brillants de colère, je regardai les livres éparpillés sur le lit.

Un soir, au printemps, lorsque j'avais vingt-six ans, ma mère m'appela. « Il faut que tu regardes ça. C'est incroyable ! Et il n'y aura pas d'autre comète comme celle-la de notre vivant. »

Je lui dis que là où je vivais, il était impossible de voir d'étoiles. À Los Angeles, le ciel nocturne était orangé.

Elle soupira. « Ici, le ciel nocturne est encore dégagé et sombre. Pourquoi ne viens-tu pas faire un tour ce week-end ? »

Je lui expliquai qu'il m'était impossible de me libérer, que j'avais trop de travail. Mes yeux de lynx devaient réviser des articles de revue. Je devais effacer chaque virgule mal placée et corriger chaque participe passé mal accordé. Je ne pouvais pas me permettre de passer mes soirées à fouiller le ciel à la recherche de comètes. Mais quand je raccrochai, je m'en voulus de rater quelque chose qu'elle avait pris la peine de me signaler.

Deux soirs plus tard, alors que mon mari et moi retournions vers la voiture après le cinéma, je levai la tête pour mieux respirer l'air frais salin et je réussis à distinguer quelques étoiles. L'une d'entre elles était floue. J'enlevai mes lunettes pensant qu'elles étaient sales, mais elles ne l'étaient pas. Je compris soudainement ce que c'était.

Je saisis le bras de mon mari. « Regarde, c'est la comète ! »

En rentrant chez nous, nous la regardâmes de la fenêtre de la voiture. J'appuyai la joue contre la vitre froide et me demandai si ma mère la regardait aussi. De retour à la maison, je me précipitai sur le téléphone pour l'appeler.

Ma mère est vieille maintenant. Elle vit dans une maison de retraite et ne peut m'entendre à moins que je ne crie dans son oreille gauche. Lorsque je lui rends visite, je lui demande si elle veut aller dehors voir les étoiles. Elle veut bien. Je l'assois dans son fauteuil roulant et mets plusieurs couvertures sur elle pour qu'elle ne prenne pas froid. Je pousse le fauteuil roulant dehors et je lui montre les constellations dont j'ai appris les noms il y a longtemps : Orion, la Grande Ourse, les Pléiades. Son index noueux tremble, mais ses yeux de lynx savent exactement où regarder.

— *Madaleine Laird*

 # Un amour
de conte de fées

Les contes de fées commencent tous comme ça :
« Il était une fois. » Et c'est ainsi que débute cette
histoire d'amour qui a commencé il y a plus de vingt
ans.

Il était une fois une écrivaine de l'Oregon qui rencontra un médecin de Stockholm dans un restaurant
de San Francisco et ils finirent par faire le tour de la
ville ensemble tout en bavardant. Le week-end suivant, il devait se rendre à Seattle ; elle l'y suivit et ils
firent la même chose : se promener et bavarder tout le
temps. Les deux amis platoniques se quittèrent, convenant qu'il valait mieux ne pas s'écrire. En route vers
le Nord en voiture, la femme éprouvait le sentiment
étrange d'avoir perdu son meilleur ami.

Ils s'écrivirent. Dans leurs lettres qui s'entrecroi-
saient, ils se parlaient de leur carrière, de leur famille,
de leur philosophie et de leur amour mutuel de la
nature. Comme ils étaient persuadés qu'ils ne se rever-

raient jamais, leurs lettres étaient franches. Deux années plus tard, le médecin suédois vint travailler un an à Seattle. L'homme et la femme se retrouvèrent et l'amour commença à naître entre eux. Mais il avait une famille à laquelle il était attaché ; elle le reconnaissait et acceptait son intégrité. Une fois de plus, ils se dirent adieu. Elle finit par en épouser un autre.

Au fil des ans, elle se demanda souvent ce qu'il advenait de lui et ce qui serait arrivé si seulement la situation avait été différente.

Presque deux décennies plus tard, la femme fit un rêve. Dans le rêve, l'homme était debout dans sa cuisine avec sa femme. La femme, avec tristesse ou colère, lui confiait son mari. Elle se réveilla en sursaut, se demandant la signification de son rêve. Qu'est-ce qui se passait ?

Au même moment, à l'autre bout du monde, l'homme tapa le nom de la femme dans Internet. Rien. Pendant des mois, il essaya. Puis, un beau jour, de l'autre côté du globe, c'est elle qui tapa le sien. Ils réussirent finalement à se joindre. Sa femme était morte. Elle avait divorcé. Et ils ne s'étaient pas oubliés.

Une fois de plus, il y eut un échange de lettres auxquelles s'ajoutèrent les courriels. Tôt, un juillet matin, la femme reçut un appel. Cela faisait vingt ans qu'elle n'avait pas entendu la voix de l'homme. Il assistait à un congrès de médecins à Denver ! En trois heures, elle était à bord de l'avion, risquant tout pour une visite surprise spontanée. Elle le repéra parmi les 300 personnes qui se trouvaient dans une salle du congrès. Ils reculèrent de vingt ans dans le temps ; ils étaient jeunes de nouveau et rien n'avait changé.

Rien, sauf les circonstances.

Début novembre, l'homme la fit venir chez lui en Suède pour une visite de deux semaines qui ressemblait à une lune de miel.

Ils firent des courses ensemble pour décorer la nouvelle maison qu'il venait d'acheter. Ils se promenèrent dans les rues pavées étroites de Gamla Stan (la vieille ville de Stockholm) et grimpèrent les quatre étages d'un immeuble centenaire pour qu'il la présente à sa mère âgée de quatre-vingt-cinq ans, qui l'accueillit en la prenant dans ses bras. Il lui présenta aussi ses trois enfants adultes qui la remercièrent de rendre leur père si heureux et qui lui firent un cadeau à son départ. Elle rencontra ses meilleurs amis et ensemble ils rigolèrent comme de vieux compagnons.

La soirée des Morts, ils visitèrent ensemble le cimetière où les familles allument des chandelles et placent de petites lanternes sur les tombes. Il lui parla de la torpeur, de la douleur, de la marche quotidienne à travers les bois pour visiter la pierre tombale grise. À la tombe de sa femme, la femme éclata en sanglots. « Je t'ai toujours voulu, mais pas à ce prix, jamais à ce prix ! » L'homme et la femme s'enlacèrent et comprirent que toute chose a son temps.

Chaque jour, il lui servait le petit déjeuner au lit. Ils passaient leurs journées à bavarder et à se promener et les journées s'écoulaient sereinement. Ils nettoyaient, ils cuisinaient et ils recevaient. Ils écoutaient de la musique et lisaient à haute voix. Ils allumaient des chandelles matin et soir pour chasser la grisaille de ce froid mois de novembre. Ils traînassaient dans les bois et il lui montrait ses endroits préférés : le pré que sa femme et lui dégageaient à la fin de chaque printemps pour les festivités de mai quand les enfants étaient jeunes ; le rocher des baignades ; l'arbre creux enchanté où les enfants jouaient autrefois.

Un jour, ils mirent des provisions dans un sac de sport, grimpèrent dans son bateau pour le voyage d'une heure et demie à travers l'archipel de 24 000 îles en route vers sa cabane centenaire. La mer Baltique entra en furie et elle dut se cramponner pour ne pas être jetée par-dessus bord tandis qu'il les menait à bon port. Je n'aurais aucune crainte à lui confier ma vie, pensa-t-elle. En fait, je n'en ai aucune.

Ils se glissèrent dans la cabane d'une pièce alors que le vent martelait la porte en madriers rouges. Le feu du foyer de coin réchauffait la pièce et ils se débarrassèrent des couches de vêtements et de solitude. La lueur des chandelles se reflétait dans les minuscules vitres et dans leurs yeux, seuls ensemble dans cette région sauvage, au bout du monde.

Chaque jour, ils riaient, s'aimaient et apprenaient à mieux se connaître. Chaque jour, ils se disaient que la vie ne pouvait rien leur apporter de mieux. Et chaque jour, à leur grande joie, ils se rendaient compte que ce n'était pas vrai.

Ensuite, ces deux personnes qui avaient savouré leur vie en solitaire convinrent de vivre ensemble. C'était aussi évident que manger et respirer. « Nous avons deux endroits magnifiques où vivre, nous nous aimons et le reste n'est qu'une question de détails », dit l'homme.

La femme approuva d'un signe de la tête, confiante que le destin qui les avait fait se retrouver après plus de vingt ans d'absence et un éloignement de 6 000 milles ne les décevrait pas maintenant.

Finalement, après des années passées à écrire le dénouement romanesque des histoires des autres, la femme vivait son propre conte de fées.

Souhaitez-moi bonne chance !

— *Jann Mitchell*

# Collaboratrices

Ellen Jensen Abbott (*Lundi matin*) vit à West Chester, en Pennsylvanie avec son mari, Ferg, et ses enfants, William et Janie. Elle profite de la tranquillité de la maison à l'aube pour écrire des romans pour adolescents et jeunes adultes.

Beth Rothstein Ambler (*La bicyclette aux rubans roses*) a commencé à écrire lorsque la sclérose en plaques l'a obligée à abandonner sa carrière de cadre supérieure. Elle habite au New Jersey avec son mari chéri Chuck qui se dispute son attention avec Bukus, son labrador, et Syco, son rottweiler de 160 livres, même s'il n'est encore qu'un chiot.

Nancy Baker (*Il faut en profiter !*) a pris, en 1999, sa retraite de la Texas A&M University à College Station, au Texas, où elle était coordonnatrice de programme pour la formation à la direction de groupes. Depuis sa retraite, elle se consacre à sa passion de toujours, l'écriture, et a publié histoires et articles. Mariés depuis quarante-trois ans, son mari et elle ont trois enfants, huit petites-filles et trois arrière-petits-enfants.

Gail Balden (*Le colis de Noël*) habite la côte de l'Oregon et donne des ateliers d'écriture pour les femmes. Ses œuvres ont été publiées dans des revues et des anthologies. Elle écrit présentement un livre sur une jeunesse passée dans une petite ville du Midwest.

Joyce Lance Barnett (*Une grande petite dame*) a passé toute sa vie sur la ferme où elle est née, à Mills River, en Caroline du Nord. Son mari Carl et elle y travaillent dur et y ont élevé leurs deux filles, entourés de chevaux et de la splendeur des montagnes. Artiste et écrivaine, elle a dressé et esquissé au pastel des portraits des gens, des animaux et de ses trois petits-enfants qui apprécient à leur tour ces montagnes imposantes.

Peggy Bird (*La lune, deux étoiles et l'Italie*) habite Vancouver, dans l'État de Washington. Sa fille Meg habite de l'autre côté de la Columbia, à Portland, en Oregon. Les deux comptent emmener très bientôt la fille de Meg, Maggie, en Italie.

Lauren Cassel Brownell (*La véranda d'Emily*) habite Newton, en Pennsylvanie, avec son mari et son fils âgé de deux ans. Auteure indépendante, elle travaille présentement à l'écriture d'un livre pour enfants et a publié des articles dans plusieurs revues.

Renie Szilak Burghardt (*Les deux Américaines*) est née en Hongrie et a émigré aux États-Unis en 1951. Elle habite la campagne, où elle apprécie la nature, se consacre à la lecture et aux activités familiales. Ses écrits ont paru dans de nombreuses publications, notamment *Whispers from Heaven, Une tasse de réconfort* et *Une tasse de réconfort pour les amis*.

Christine Caldwell (*La magie du nouvel an*) vient de terminer son premier roman, *The Complete Lily Lansing*. Elle est diplômée de la Rutgers University, à Camden et habite le New Jersey avec son mari Mark McCarthy et ses filles, Brooke et Jillian.

Talia Carner (*La descente des rapides* et *Emportée par le vent*) habite Long Island, à New York, avec son mari et ses quatre enfants. Ses essais ont été publiés dans *The New York Times*, des anthologies et des revues. Son roman, *Puppet Child*, a été publié à l'été 2002, suivi de deux autres en 2003. Avant de se consacrer à temps plein à l'écriture, elle était conseillère en marketing auprès d'entreprises *Fortune 500* et éditrice de la revue *Savvy Woman*.

Anne Carter (*Les deux cœurs*) est native de New York où elle habite Long Island avec son mari et son précieux chat, près de ses enfants et de ses petits-enfants. Ses histoires inspirantes ont paru dans de grandes publications et elle travaille présentement à un recueil d'histoires au sujet des expériences de la vie de sa famille.

SuzAnne C. Cole (*La table*), de Houston, au Texas, était professeur d'anglais à un collège avant de se consacrer à l'écriture. Elle est l'auteure de *To Our Heart's Content: Meditations for Women Turning 50* et autres livres. Ses poésies, pièces de théâtre et oeuvres de fiction ont été publiées dans des revues, des journaux et des anthologies.

Karen Deyle (*Ma compagne de voyage*) habite près de la région de Finger Lakes de l'État de New York, entourée de sa famille aimante de choix. Ses essais chantent la joie de la table, de la foi, de l'amitié et du voyage. Une mordue du voyage, elle garde son sac à dos et son passeport près de la porte.

Hanna Bandes Geshelin (*Une main dans la mienne*) se consacrerait à l'écriture à temps plein s'il n'y avait pas aussi sa maison, la petite-fille de son mari, le jardinage, le bénévolat au musée d'histoire local et les visites à ses voisins âgés à Worcester, au Massachusetts. Elle trouve quand même le temps d'écrire des histoires inspirantes et de travailler à son quatrième livre pour enfants.

Elisabeth P. Glixman (*Regarde dans le miroir, ma chérie*) écrit des histoires, des essais et de la poésie à partir de sa maison au Massachusetts. Elle détient un baccalauréat en beaux-arts avec spécialisation en arts visuels en atelier et une maîtrise en éducation et elle a collaboré à des programmes d'arts et éducatifs pour les enfants.

Sharon Hazard (*L'amant de Joan*) habite Elberon, au New Jersey. Elle a dédié cette histoire à sa sœur, Joan Tucker, qui, en dépit de son handicap, lui a toujours été une source d'inspiration.

Hedy Wiktorowicz Heppenstall (*L'arbre de la vie*) habite Winnipeg, au Manitoba. Elle est écrivaine-résidente pour les Manitoba Artists in Healthcare et coanime un cours intitulé A write to Joy. Lorsque son travail d'écriture le lui permet, elle travaille comme infirmière dans une clinique de santé communautaire.

Amanda Krug (*Comment mon père et moi avons refait connaissance*) habite Fishers, en Indiana, avec son mari et ses quatre enfants. Ses histoires primées sont parues dans des livres, des magazines électroniques et des journaux du monde entier. En collaboration avec Devasis Jena, elle rédige actuellement un livre sur une ancienne collectivité tribale en Inde.

Heidi Kurpiela (*Il y a six étés*) de North Collins, dans l'État de New York, étudie le journalisme au collège d'État de Buffalo. Elle écrit pour deux journaux et travaille dans une librairie.

Madaleine Laird (*Des yeux de lynx*) est auteure indépendante et rédactrice d'articles de marche à suivre et de critiques de livres à des essais et manuels. Elle habite avec son mari Carl, à Canyon Country, en Californie où elle se sert de ses yeux de lynx pour repérer les coucous terrestres dans les lits de rivière.

B.J. Lawry (*L'organdi rose*) a été pendant trente-six ans journaliste, rédactrice d'articles de fond et éditrice de magazines et de journaux. Ayant maintenant pris sa retraite dans la région montagneuse de l'Arkansas, elle continue d'écrire et a publié deux livres, *Desert Heat*, une histoire sentimentale et *The Piper of Featherly*, un roman à énigmes.

Rochelle Lyon (*Un avant-goût du paradis*) est une femme au foyer et la chef d'une grande famille, toujours grandissante. Elle adore écrire et affirme que sa maison à côté d'un petit lac à Franklin, au Texas, constitue l'endroit idéal pour la réflexion. Pour son mari et elle, c'est le plus bel endroit au monde.

Donna Marganella (*Les dons que m'ont faits les femmes de ma vie*) a publié des recueils de nouvelles ainsi que des ouvrages généraux mais préfère les essais humoristiques qui éclairent la réalité de la vie contemporaine. De jour, elle est directrice de marketing en technologie de pointe, mais n'y voit pas de côté drôle. Elle habite à Carlsbad, en Californie, avec son mari Kevin qui continue de rire de ses blagues.

Marsha McGregor (*Ces petites choses*) est une auteure indépendante qui vit avec son mari, leurs deux enfants et trois chats à Hudson, en Ohio. Ses essais et articles sont souvent parus dans la revue *The Plain Dealer Sunday Magazine*. Elle rédige aussi des communiqués de marketing et généraux pour des entreprises régionales et nationales. Marsha est membre de la International Women's Writing Guild.

Robin Davina Lewis Meyerson (*L'erreur de numéro*) était directrice des communications commerciales pour une entreprise *Fortune 300* avant de devenir auteur, enseignante et conférencière sur des sujets d'autoperfectionnement. Elle a grandi à l'étranger et habite maintenant avec sa famille en Arizona.

Jann Mitchell (*Un amour de conte de fées*) mène maintenant une vie de conte de fées avec le prince charmant qu'elle a redécouvert, près de Stockholm, en Suède, et s'est mise au suédois. Son prince et elle voyagent beaucoup. Ils ont passé quelque temps en Afrique orientale où il a travaillé auprès de sidatiques tandis qu'elle parrainait une prématernelle. C'est une auteure indépendante et une conférencière spécialiste de la motivation.

Camille Moffat (*Le lever du soleil*) habite le sud et écrit depuis sa maison perchée sur le flanc d'une montagne donnant sur la vallée de la Shenandoah. Voici ce qu'elle dit au sujet de l'écriture : « J'ai toujours été reconnaissante d'avoir du talent pour l'écriture. Après tout, tout le monde a besoin d'un don quelconque et je ne sais pas cuisiner. »

Mary Jane Nordgren (*Les roses de T*) est une enseignante à la retraite et un médecin de famille qui habite maintenant avec son mari (le directeur d'école de son roman *Early: Logging Tales Too Human To Be Fiction*) à Forest Grove, dans l'Oregon. Leur maison donnant sur les sommets couronnés de neige de Cascade résonne souvent du bruit du rire d'enfants lors des réunions familiales.

Barbara Nuzzo (*La camaraderie*) habite avec son mari Ray à North Brunswick, au New Jersey. Les voyages sont son passe-temps préféré, ce qui tombe bien puisqu'elle est agente de voyages. Elle souhaite visiter tous les pays au moins une fois, mais retourne souvent en France. Lectrice vorace, elle aime écrire et fait partie de plusieurs groupes d'écriture.

Janet Oakley (*Des rêves en technicolor*) est la conservatrice de l'éducation au Skagit County Historical Museum à LaConner, à Washington, et enseigne à un collège local. Elle a publié des articles dans des revues d'histoire et des revues de vulgarisation et a écrit quatre romans. Veuve depuis peu, elle a trois fils adultes et caresse encore des rêves.

Marge Pellegrino (*L'Action de grâces à Tucson*) est une auteure éditée qui anime des ateliers d'écriture pour tous les âges dans les bibliothèques, les écoles et d'autres cadres communautaires. Elle réside à Tucson, en Arizona.

Shannon Pelletier-Swanson (*La vérité au sujet des rêves*) est une journaliste indépendante, une conceptrice-rédactrice et une conceptrice graphique. Elle écrit aussi des ouvrages documentaires et des œuvres d'imagination. Elle habite avec son mari Ryan et leurs jumelles identiques Presley et Shyann à Apopka, en Floride.

LeAnn R. Ralph (*Mon cadeau de la Saint-Valentin*) habite le Wisconsin, État de sa naissance et de son enfance. Rédactrice attitrée de deux hebdomadaires, elle écrit aussi à son compte des histoires au sujet de sa jeunesse sur la ferme laitière qui est devenue la propriété familiale de ses arrière-grands-parents norvégiens vers la fin des années 1800. Ses récits ont été publiés dans *Une tasse de réconfort pour les amis* et *Une tasse de réconfort*.

Barbara Rich (*La tasse ébréchée*) quittait, il y a plus de vingt-cinq ans, la côte est pour s'installer dans le sud de la Californie. Secrétaire semi-retraitée, jeune grand-mère et jeune mariée, elle se passionne pour la décoration intérieure et la narration d'histoires.

Kimberly Ripley (*À Pearlie, avec toute mon affection*) est l'auteure de *Breathe Deeply, This Too Shall Pass,* un recueil d'histoires au sujet des tribulations de la vie avec des adolescents et est une collaboratrice de *Une tasse de réconfort.* Elle habite avec son mari et leurs cinq enfants à Portsmouth, au New Hampshire.

Julie Clark Robinson (*Un bon investissement, Une abondance de cadeaux, Demystifying the C-Word* (non inclus dans la version française), *Le passage du je au nous* et *Mes quarante ans*) fusionne observations et sensations pour rédiger sa chronique curieusement rassurante « Such is Life ». Ses essais ont été publiés dans *Bride's Magazine* et *Family Circle.* Une ex-rédactrice de textes publicitaires et toujours la femme de David et la mère fantaisiste de Reid et Jenna, elle se donne à fond à l'écriture à partir de leur maison à Hudson, en Ohio.

Shaun Rodriguez (*La légende de la petite amie idéale*) réside à Washington, D.C., avec son mari et leurs trois enfants. Diplômée de la Duke Elligton School for Performing Arts, c'est une lectrice vorace et une passionnée des arts. C'est sa première œuvre publiée.

Therese Madden Rose, Ph.D. (*Dans le cœur de ma mère*) a passé la plus grande partie de sa vie dans le sud de la Californie. Elle est éducatrice spécialisée, psychothérapeute et auteure. Lorsqu'elle en a le temps, elle s'adonne à la natation, aux randonnées en ville, à la tapisserie sur canevas et à la visite de ses trois enfants adultes. Elle habite maintenant Long Island.

Julia Rosien (*La vaisselle-thérapie* et *Bien meublé en amour*) habite l'Ontario, au Canada, avec son mari et leurs quatre enfants. Elle enseigne la tenue d'un journal intime et l'écriture créatrice. Ses essais sont parus dans des magazines et journaux internationaux. Sa devise est : « Le bonheur est un moyen, ce n'est pas le but. »

Nancy Scott (*Le pétrissage des liens de l'amitié*) est une essayiste et une poète dont la signature apparaît dans des publications régionales et nationales, notamment *ByLine*, *Dialogue* et *The Philadelphia Inquirer*. Deux poèmes de son livre de colportage, *Heaving the Sunrise*, ont été publiés dans l'anthologie de l'invalidité, *Staring Back*. Elle habite Easton, en Pennsylvanie.

Lynn Seely (*Mon temps*), auteure d'ouvrages documentaires et de romans, habite Martinsburg, en Virginie occidentale, avec son mari John et leurs deux chats. Les Seely sont passés à la télévision, au programme *Miracle Pets*, avec Aggie, leur félin héroïque qui est la source d'inspiration du prochain livre de Lynn.

Pat Skene (*Le nouveau départ*) trouve agréable son « arrivée » dans la belle communauté rurale de Cobourg, en Ontario, au Canada. Elle adore raconter des histoires au Manoir Ronald McDonald et à l'Hôpital pour enfants malades à Toronto, au Canada. Son premier livre, *The Whoosh of Gadoosh* a été publié en juin 2002.

Janie H. Starr (*Laura : mon amie du mouvement pour la vie*) détient une maîtrise en santé publique et en psychologie clinique. Vers le milieu des années 1980, elle a renoncé à la pratique privée pour se consacrer aux questions ayant trait à la paix, la justice et le développement de la conscience communautaire. Elle donne des conférences et écrit sur des sujets allant du développement des adolescents et de la sexualité humaine à la menace nucléaire, la durabilité de l'environnement, la diversité et maintenant le cancer, avec son premier livre autobiographique publié, *Bone Marrow Boogie: The Dance of a Lifetime*.

Sarah Stockton (*Cap sur les eaux tranquilles*) habite avec sa famille dans la région de la baie de San Francisco. Écrivaine, directrice de la rédaction de Centered Path Publishing, elle enseigne également et sert de mentor pour l'écriture spirituelle et la créativité.

Cheryl Terpening (*Chrysalide*) de Ann Arbor, au Michigan, est ergothérapeute pour les personnes ayant une déficience visuelle. Elle a une fille de vingt-deux ans et un mari « flambant neuf ».

Gina Tiano (*Le voyage au pays d'abondance*) est native de Santa Fe, au Nouveau-Mexique. Auteure indépendante et humoriste-écrivaine, elle habite la région tropicale de MacAllen, au Texas, à dix milles de la frontière mexicaine. De jour, Gina travaille avec son mari à sa société de prêts hypothécaires et de nuit, elle danse le merengue et sirote des margaritas.

Peggy Vincent (*Les quatre Mary*), une sage-femme à la retraite, est l'auteure de *Baby Catcher: Chronicles of a Modern Midwife*, un roman autobiographique. Mariée depuis trente-deux ans, elle habite le nord de la Californie avec son mari et leur fils adolescent. Deux autres enfants adultes habitent à proximité.

Sue Vitou (*On est sûrement mercredi*) est une écrivaine primée ayant à son actif plus de 200 articles et essais publiés. Elle habite Medina, en Ohio avec ses quatre enfants, Matt, John, Brad et Brenna.

Donna Volkenannt (*Le cadeau de Julie*) est une épouse, mère, grand-mère, marraine, sœur, tante et amie. Elle habite St.Peters, au Missouri, et travaille pour le ministère de la Défense. Pendant ses loisirs, elle s'adonne à la lecture et l'écriture (mais pas à l'arithmétique) et gâte ses petits-enfants, Cari et Michael.

Davi Walders (*Enfin libérées de nos tâches !*) est une poète primée, une écrivaine et une conseillère pédagogique. Sa poésie et sa prose sont apparues dans plus de 150 publications, notamment *The American Scholar*, *Ms.* et *JAMA* et dans de nombreuses anthologies, notamment *Words: Contemporary American Women Writers* et *Beyond Lament: Poets of the World Bearing Witness to the Holocaust*. Elle a organisé et dirigé le Vital Signs Poetry Project aux National Institutes of Health et le Children's Inn à l'intention des parents d'enfants qui se font soigner pour une maladie qui menace le pronostic vital.

Dera R. Williams (*L'héritage légué par les courtepointes*) a presque toujours vécu dans la région de la baie de San Francisco. Elle travaille à l'administration d'un collège communautaire local. Sa passion pour sa généalogie lui a inspiré le roman qu'elle est en train d'écrire.

Tracy Williams (*L'envol*) est auteure indépendante après une carrière en journalisme, à la radio et à la télévision. Elle habite le nord-ouest de l'État de New York avec son mari Robert et ses filles Lauren et Haley.

Au sujet de
Colleen Sell

Colleen Sell croit depuis longtemps en la puissance d'une histoire pour nous rapprocher de notre moi intérieur, de l'esprit divin et des autres humains. Elle s'intéresse depuis toujours aux histoires des femmes passionnées en quête du bonheur absolu.

Rédactrice de plus de cinquante livres publiés et ancienne rédactrice en chef de la revue *Biblio: Exploring the World of Books*, elle est aussi une essayiste, une journaliste, une scénariste et une auteure de romans. Lorsqu'elle ne se livre pas à la magie des mots, elle profite de la vie à la campagne dans le nord-ouest du Pacifique où elle jardine, se promène dans les bois, danse sur le pont et raconte des histoires à sa famille et aux amis et écoute les leurs.

Dans la même collection
aux Éditions AdA

Pour obtenir une copie
de notre catalogue
veuillez nous contacter :

AdA
1385, boul. Lionel-Boulet
Varennes, Québec
J3X 1P7
Fax : 450.929.0220
info@ada-inc.com
www.ada-inc.com

Pour l'Europe, veuillez contacter :
France : D.G. Diffusion Tél. : 05.61.00.09.99
Belgique : D.G. Diffusion Tél. : 05.61.00.09.99
Suisse : Transat Tél. : 23.42.77.40